흐르는 강물처럼

Like the Flowing River

파울로 코엘료 지음 * 박경희 옮김

문학동네

일러두기

* 본문의 주석은 모두 옮긴이주입니다.

흐르는
강물처럼

옮긴이 **박경희**

가톨릭대학교와 서강대학교 교육대학원 국어교육학과를 졸업하고 독일 본 대학에서 동양미술사, 독문학, 번역학을 공부했다. 현재 프랑크푸르트에서 영어, 독일어 번역가, 프로그램 코디네이터로 활동하고 있다. 옮긴 책으로 『청춘은 아름다워』 『숨그네』 『옌젠 씨, 하차하다』 『행복에 관한 짧은 이야기』 등이 있다.

문학동네 세계문학
흐르는 강물처럼

문고판 초판 인쇄 2015년 12월 3일
문고판 초판 발행 2015년 12월 10일

지은이 파울로 코엘료 | 옮긴이 박경희 | 펴낸이 염현숙

펴낸곳 (주)문학동네
출판등록 1993년 10월 22일 제406-2003-000045호
주소 10881 경기도 파주시 회동길 210
전자우편 editor@munhak.com | 대표전화 031) 955-8888 | 팩스 031) 955-8855
문의전화 031) 955-1927(마케팅) 031) 955-2684(편집)
문학동네카페 http://cafe.naver.com/mhdn | 트위터 @munhakdongne

ISBN 978-89-546-3860-9 04890
978-89-546-3857-9 (세트)

* 이 도서의 국립중앙도서관 출판예정도서목록(CIP)은 서지정보유통지원시스템 홈페이지(http://seoji.nl.go.kr)와 국가자료공동목록시스템(http://www.nl.go.kr/kolisnet)에서 이용하실 수 있습니다.
(CIP제어번호: CIP2015031458)

www.munhak.com

깊은 밤 고요히 흐르는
강물 같아라
밤의 어둠을 두려워하지 않아
하늘의 모든 별을 제 물결에 담고
구름이 하늘을 가리면
구름 또한 물 같고 강 같아
흔쾌히 그들을 비추리
깊고 깊은 침묵 속에서

마누엘 반데이라(*Manuel Bandeira*)

* 차례

프롤로그

나 열다섯 살 때 어머니에게 말했다.

"어머니, 드디어 제가 가야 할 길을 찾았어요. 작가가 될 거예요."

"얘야."

어머니는 걱정스러운 듯 말씀했다.

"네 아버지처럼 엔지니어가 되는 게 어떻겠니? 아버지는 사리분별이 뛰어나고 세상 보는 눈이 정확하신 분이잖니. 넌 대체 작가가 뭐 하는 사람인지 알고나 있어?"

"책을 쓰는 사람이죠."

"책이라면 의사인 아롤두 삼촌도 쓰시잖니. 글을 쓰고 싶으면 대학에서 공학을 공부하면서도 얼마든지 쓸 수 있어."

"어머니, 전 글 쓰는 엔지니어가 아니라 작가가 되고 싶어요."

"너 작가를 만나본 적이나 있니? 얼굴이라도 직접 본 적이 있느냐 말이야."

"없어요. 사진으로만 봤죠."

"그것 봐라. 잘 알지도 못하면서 작가가 되겠다는 게 말이 되니?"

어머니의 물음에 대답하기 위해 나는 조사에 나섰다. 내가 1960년대 초에 조사한 바에 따르면, 작가는 이런 존재다.

a) 작가는 항상 안경을 걸치고, 절대 머리를 빗는 법이 없다. 늘 화를 내거나 우울하거나 둘 중 하나다. 그는 술집에서 역시나 헝클어진 머리칼에 안경을 걸친 다른 작가들과 격론을 벌이는 데 일생을 바친다. 작가는 매우 '심오한' 것들에 대해서만 이야기한다. 그리고 언제나 다음 작품에 대한 기발한 아이디어가 넘치며, 가장 최근에 출간된 자신의 책을 몹시도 혐오한다.

b) 작가는 자기 세대로부터 절대 이해받아서는 안 될 책임과 의무를 지고 있다. 그는 자신이 따분한 시대에 태어났다고 철석같이 믿으며, 동시대인들에게서 이해받는 건 천재로 간주될 기회를 송두리째 잃는 것이나 다름없다고 확신한다. 작가는 자신이 쓴 문장을 끊임없이 다듬고 수정한다. 보통 사람들이 사용하는 단어는 삼천 개 내외인데, 진정한 작가는 이런 단어들을 사용하지 않는다. 그것들을 제외하고도 사전에는 아직 십팔만 구천 개의 단어들이 남아 있는데다, 그는 보통 사람이 아니잖은가.

c) 작가의 말을 이해하는 건 동료 작가들뿐이다. 그럼에도 작가는 남몰래 동료들을 경멸한다. 그들은 결국 문학사에 수세기 동안 공석으로 남아 있는 영광의 자리를 두고 다투는 경쟁자들이니까. 작가는 '가장 난해한 책'이라는 영예를 안기 위해 동료들과 경쟁한다. 이 싸

움에서 승자는 가장 읽기 어려운 책을 쓰는 데 성공한 사람이다.

d) 작가라는 사람은 기호학, 인식론, 신구체주의 같은 불편한 분위기를 조성하는 명사에 조예가 깊다. 누군가에게 겁을 주고 싶으면 이런 말을 들먹이면 된다. "아인슈타인은 바보야", 혹은 "톨스토이는 부르주아의 광대였어". 그 말을 들은 상대는 아니꼬워하면서도, 그 자리를 뜨자마자 상대성이론은 엉터리이고 톨스토이는 러시아 귀족사회의 옹호자였다고 떠벌리게 될 것이다.

e) 작가는 여자를 유혹하고 싶을 때마다 냅킨에 시 한 편을 써서 건네며 이렇게 말하기만 하면 된다. "나는 작가입니다." 언제나 통하는 방법이다.

f) 작가는 해박한 지식을 바탕으로 문학비평을 한다. 그는 비평가로서 동료들의 작품에 후한 점수를 준다. 그러나 그가 쓴 평론의 반은 외국 작가의 인용구로, 나머지 반은 '인식론적 단락'이니 '융화된 2차원적 삶의 비전' 같은 표현 따위로 점철되어 있다. 그의 글을 읽은 사람이라면 누구나 이렇게 감탄할 것이다. '참 똑똑한 사람이야!' 하지만 막상 책을 사기는 꺼린다. 인식론적 단락 앞에서 쩔쩔매게 될까봐 두렵기 때문이다.

g) 작가는 요즘 무슨 책을 읽느냐는 질문에 늘 남들이 듣도 보도 못한 제목을 댄다.

h) 작가와 그 동료들에게 한결같은 감동을 안겨주는 책은 세상에 단 한 권뿐이다. 바로 제임스 조이스의 『율리시스』. 이 작품을 깎아내리는 작가는 없다. 하지만 책 내용을 물으면 횡설수설한다. 정말로 그걸 읽기는 한 건지 의심이 들 정도로.

이 모든 자료로 무장한 뒤, 나는 어머니에게 작가란 무엇인가 조목조목 설명했다. 어머니는 꽤나 놀라신 듯했다.

"차라리 엔지니어가 되는 게 쉽겠구나. 게다가 넌 안경도 안 쓰잖니."

그래도 내 머리칼은 그때부터 이미 부스스했고, 주머니에는 언제나 골루아즈 담배 한 갑이 들어 있었고, 옆구리에는 연극대본도 한 권 끼워져 있었다(기쁘게도 어느 비평가가 '지금까지 무대에서 본 가장 미치광이 같은 작품'이라는 평을 남겼던 「저항의 한계」라는 작품이었다). 나는 헤겔을 공부했고, 어떻게든 『율리시스』를 꼭 읽어야겠다고 다짐했다. 그리고 그로부터 얼마 후, 한 록 가수로부터 노랫말을 써달라는 부탁을 받았다. 나는 불멸을 추구하는 쪽은 잠시 미뤄두고 다시 평범한 사람들의 길로 들어섰다.

그 길은 나를 수많은 곳으로 이끌었고, 베르톨트 브레히트의 말처럼 신발을 바꾸는 것보다 더 많이 나라를 바꾸게 했다. 이 책에 담긴 글들은 내가 직접 겪은 일화와, 다른 사람들이 내게 들려준 이야기들, 여행하면서 내 삶의 강폭을 눈에 띄게 넓혀준 생각들이다. 이 글들 중 일부는 전세계 신문과 잡지에 게재되었는데, 나를 아끼는 독자들의 요청으로 이렇게 책으로 묶이게 되었다.

Paulo Coelho

파울로 코엘료

방앗간집에서의 하루

요즘 내 삶은 서로 다른 세 개의 악장으로 이루어진 교향곡과 같다. 각 악장에 제목을 붙이자면 다음과 같다. 〈많은 사람들과〉 〈몇몇 사람과〉 〈아무도 없이〉. 이 세 악장은 일 년 동안 각각 넉 달씩 연주된다. 가끔씩은 한 달 동안 세 악장이 번갈아 연주되는 경우도 있지만 중복되는 경우는 없다.

〈많은 사람들과〉는 독자나 출판 관계자, 저널리스트들과 함께하는 시간이다. 〈몇몇 사람과〉는 브라질에서 옛 친구들을 만나고, 코파카바나 해변을 거닐고, 드문드문 모임에 얼굴을 내미는 때다. 남는 시간은 대부분 집에서 보낸다.

오늘은 〈아무도 없이〉에 대해 이야기해보려 한다. 이 글을 쓰는 지금, 이곳 피레네 지역 마을에 사는 이백여 명의 주민들 머리 위로 어스름이 내리고 있다. 마을의 정확한 이름은 비밀에 부치련다.

얼마 전 나는 이곳에서 방앗간을 개조한 집 한 채를 샀다. 매일 아침 닭 울음소리에 깨어나 아침식사를 하고, 소와 양 떼들을 지나 옥수수밭과 초원 사이를 거니는 것이 내 일과다(〈많은 사람들과〉와는 완전히 딴판인 생활이다). 이곳에서 나는 내가 누구인가를 잊는다. 질문도 답도 없이 온몸으로 순간을 살고, 일 년에 사계절이 있다는 것을 새삼스레 확인하며(명백한 사실이지만, 가끔 우리는 그걸 잊을 때가 있다) 나를 둘러싼 자연과 하나가 되어간다.

이때의 나는 이라크나 아프가니스탄에서 무슨 일이 일어나는지 그다지 관심을 갖지 않는다. 여느 시골사람처럼 내게 가장 중요한 뉴스는 일기예보다. 시골사람이라면 누구나 비, 바람, 추위에 민감하게 마련이다. 그들의 삶과 일정, 수확과 직접적으로 관련되어 있는 것이니까. 산책길에 들판에서 일하는 농부와 마주치면 인사를 주고받고, 날씨에 대해 몇 마디 나눈 뒤, 각자 하던 일로 돌아간다. 농부는 밭을 갈고, 나는 하염없이 산책을 하는 것이다.

집으로 돌아와 우편함을 열면 지역 신문이 배달되어 있다. 신문에는 이웃 마을의 댄스 축제와 인근 읍에서 열리는 낭독회, 간밤에 쓰레기장에 방화사건이 일어나 소방차가 출동했다는 기사가 실려 있다. 지역 톱뉴스는 국도의 플라타너스 나무를 베러 다니는 사람들에 관한 소식이다. 일전에 나무가 쓰러져서 한 오토바이 운전자가 목숨을 잃은 사고가 발단이었다. 이 뉴스는 신문 전면에 게재되었고, 괘씸한 나무들을 베어 청년의 죽음에 복수하려는 '비밀결사'에 대한 기사가 그후 며칠에 걸쳐 실렸다.

나는 방앗간집 옆을 흐르는 시냇가에 앉는다. 프랑스에서만 오천 명을 죽음에 이르게 한 살인적인 폭염의 여름, 하늘에는 구름 한 점

없다. 나는 일어나서 활쏘기 연습을 한다. 활쏘기를 통한 명상은 내 일과에서 짧지 않은 시간을 차지한다.

점심때가 되어 가벼운 식사를 하고 나면 불현듯, 오래된 건물 안의 어느 방에 놓인 기이한 물건이 시야에 들어온다. 기적 중의 기적, 초고속 통신에 연결된 모니터와 자판이다. 나는 알고 있다. 전원을 켜는 순간, 또다른 세상이 내 앞에 나타나리라는 걸.

그것을 가까이하지 않으려고 가능한 한 버텨보지만, 어느새 내 손가락은 전원을 누르고, 나는 또다시 세상과 브라질 신문, 책, 인터뷰 일정, 이라크와 아프가니스탄 뉴스, 청탁 건, 비행기 표가 내일 도착한다는 연락, 연기하거나 급히 처리해야 할 사안들에 접속한다.

나는 몇 시간 동안 부지런히 일한다. 그것이 내가 선택한 길이고, 이를 통해 나 자신의 신화를 이루었고, 거기엔 책임과 의무가 따른다는 걸 알고 있기 때문이다.

하지만 〈아무도 없이〉가 연주되는 동안은 모니터 위의 모든 것이 아득히 멀어 보인다. 〈많은 사람들과〉, 혹은 〈몇몇 사람과〉가 흐르는 때, 방앗간집에서의 시간이 꿈결처럼 느껴지듯이.

해가 지고 전원을 끄면 어느덧 세상은 다시 풀 내음과 소 울음소리, 방앗간집 옆 우리로 양 떼를 모는 양치기의 소리만 메아리치는 시골마을이 된다.

나는 궁금해한다. 전혀 다른 두 개의 세상이 내 삶의 하루 동안 어떻게 공존할 수 있는지.

모르겠다. 그것이 내게 크나큰 기쁨을 준다는 것, 이 글을 쓰는 동안 내가 아주 행복하다는 사실 외에는.

흔들리지 않는 마음을 주소서

나는 지금 초록색의 괴상한 의상을 걸치고 있다. 여기저기 지퍼가 달린 두꺼운 천으로 지은 옷이다. 손을 베이지 않도록 장갑도 든든히 끼고, 내 키만한 창처럼 생긴 농기구도 들고 있다. 한 끝에는 갈퀴 세 개가, 다른 한 끝에는 뾰족한 날이 서 있는 쇠붙이다.

이제 내가 공격하려는 대상은 내 앞에 펼쳐진 정원이다.

나는 창끝으로 잔디를 뚫고 올라오는 잡초를 뽑아대기 시작한다. 그렇게 뽑아낸 식물들이 이틀 안에 죽게 되리라는 걸 알면서도 한참 동안 작업에 골몰한다.

그러다 불현듯 나는 스스로에게 묻는다. 지금 내가 하고 있는 이 일이 과연 정당한가?

우리가 '잡초'라 부르는 것들은 몇백만 년이라는 시간을 거쳐 자연 속에서 살아남은 식물들이다. 무수한 곤충들을 통해 가루받이를 하고, 그로써 씨앗을 맺고, 이렇게 생긴 씨앗이 바람을 타고 먼 들판까지 날아가 퍼진 존재들인 것이다. 한곳에서만 자라는 식물은 동물에게 먹히거나 홍수, 화재, 가뭄으로 사라지기 십상이지만, 여러 곳에 뿌리를 내린 씨앗은 이듬해 봄까지 살아남을 확률이 훨씬 높다.

하지만 지금 그들을 땅속에서 무자비하게 뽑아내려는 창끝 앞에서는 어떤 생존의 몸부림도 부질없다.

내가 왜 이 일을 하고 있는 걸까?

누군가 이 정원을 만들었다. 그게 누군지는 몰라도, 내가 이 집을 샀을 때 정원은 주변의 산과 나무와 조화를 이룬 채 이곳에 꾸며져 있었다. 정원 주인은 분명 매사에 심사숙고하고, 무엇 하나를 심는 데도 세심한 계획을 세우며(일례로 그는 땔감을 보관하는 움막이 보이지 않도록 그 둘레에 나무를 심고 조그만 오솔길을 만들어두었다), 해를 거듭하는 동안 이 정원을 정성스레 가꿔왔을 것이다. 내가 일 년 중 몇 달을 지낼 요량으로 이 방앗간집에 처음 이사 왔을 때, 잔디밭은 흠잡을 데 없이 정갈했다.

이 일이 내 몫이 된 지금도, 철학적인 질문은 여전히 남아 있다. 과연 나는 정원을 만든 사람의 공로를 존중해야 할까, 아니면 자연이 '잡초'라 불리는 저 식물에게 부여한 생존본능을 인정해줘야 할까.

그러면서도 나는 불청객 같은 식물들을 뽑아, 나중에 태우려고 모아둔 짚풀더미로 내던지는 손길을 멈추지 않는다. 어쩌면 내가 생각을 너무 많이 하는 건지도 모른다. 하지만 인간의 행동 하나하나는 신성하며, 반드시 그에 따르는 결과가 있게 마련이다. 이런 생각으로 머릿속은 점점 더 복잡해져간다.

생각해보면, 이 야생식물들은 곳곳에 퍼져 번식할 권리가 있다.

하지만 다른 한편으로는, 내가 지금 이것들을 제거하지 않으면 잔디가 그 사이에 끼여 죽어버릴 것이다. 예수는 신약에서 밀알과 가라지를 골라, 가라지는 불에 태워야 한다고 했다.

성경을 내 행위의 근거로 삼든 말든 간에, 지금 내가 직면한, 인류가 늘 마주하게 마련인 구체적인 문제는 사라지지 않는다. 인간은 과연 자연에 얼마나 깊이 관여할 수 있을까? 그런 간섭은 언제나 부정적인 걸까, 아니면 때로 긍정적이기도 한 걸까?

나는 (제초기라는 이름의) 무기를 곁에 내려놓는다. 내 동작 하나하나에, 한 생명의 종말, 즉 내버려두면 내년 봄에 꽃을 피울 야생화의 죽음이 걸려 있다. 그것은 주위 환경을 멋대로 주무르려는 인간의 오만이기도 하다.

이건 좀더 생각해볼 문제다. 이 순간, 내가 다루고 있는 것은 생과 사의 문제가 아닌가. 잔디가 내게 이렇게 말하는 듯하다. "살려주세요, 잡초가 날 죽이려 해요." 야생초는 이렇게 말하는 것 같다. "당신의 정원에 도착하기 위해 우리가 얼마나 오래 여행했는지 아세요? 왜 우릴 죽이려는 거죠?"

고민하는 내 머릿속에 『바가바드기타』의 한 대목이 떠오른다. 결전을 앞둔 아르주나는 사기가 꺾여 무기를 바닥에 내던지며 크리슈나에게 대들었다. 그는 형제를 죽여야 하는 전투에 나가는 것이 무슨 의미가 있느냐고 항변했다. 그러자 크리슈나가 대답했다. "네가 정말로 누군가를 죽이는 것이 가능하다고 생각하느냐? 너의 손은 나의 손이라. 네가 하는 모든 것이 이미 기록되어 있다. 죽이는 자도 죽는 자도 없느니."

갑작스레 떠오른 이 대목에서 나는 용기를 얻어 다시 '창'을 집어 들고, 정원에 자라난 불청객들을 향해 돌진했다.

오늘 아침, 한 가지 깨달음이 내게 남았다. 내 영혼 안에 원치 않는 무언가가 자라나면 나는 신께 간구할 것이다. 아무 연민 없이 그것을 제거할 용기를 내게 허락해달라고.

활쏘기가 우리에게 가르쳐주는 것

활쏘기의 동작은 머릿속의 생각을 몸으로 구현하는 것이다.

그때는 사소한 몸짓 하나가 우리를 배반할 수 있으므로, 모든 동작을 끊임없이 연마하고, 하나하나를 머릿속에 그리며, 기술을 직관적으로 구사할 수 있게 될 때까지 갈고닦아야 한다. 직관이라는 것은 타성과는 다른 것이다. 그것은 기술을 초월하는 마음의 상태다.

그리하여 일단 기술을 충분히 연마하고 나면, 각각의 동작들을 취할 때 일일이 그것을 의식하지 않게 된다. 모든 움직임이 우리의 자연스러운 일부가 되기 때문이다. 그 경지에 이르기 위해서는 연습과 반복이 필요하다.

그러고도 충분치 않다면, 또다시 반복하고 연습해야 한다.

솜씨 좋은 대장장이를 보라. 모르는 이들의 눈에는 그가 매번 똑같은 동작으로 망치질하는 것으로 보인다. 하지만 활쏘기로 마음을 갈고닦는 사람은 안다. 그의 망치질의 강도가 매순간 다르다는 것을.

대장장이의 손은 같은 동작을 반복하지만, 그는 강하게 칠 때와 부드럽게 칠 때를 정확히 구분한다.

풍차의 경우도 마찬가지다. 무심히 보아 넘기는 사람에게 풍차의 날개는 항상 같은 속도로 같은 동작만 되풀이하는 것처럼 보인다. 하지만 풍차의 원리를 이해하는 사람은 안다. 날개의 움직임은 바람의 세기와 방향에 달려 있고, 그에 따라 방향을 바꾸기도 한다는 것을.

대장장이의 손은 수천 번 같은 동작을 되풀이하며 단련된다. 바람이 강하게 불수록 풍차날개는 더욱 빨라지고, 이를 통해 톱니바퀴도 더욱 부드러워진다.

궁수는 과녁을 수없이 빗맞혀도 조급해하지 않는다. 같은 동작을 수천 번 반복해야만 실수에 대한 두려움이 사라지고, 그럼으로써 비로소 활과 자세, 시위, 과녁의 맥락이 통째로 머릿속에 자리잡는다는 사실을 알고 있기 때문이다.

그러고 나면 궁수가 자신의 동작을 의식할 필요가 없는 순간이 찾아온다. 그때부터 그는 스스로 활과 화살, 그리고 과녁이 된다.

화살은 공간을 뚫고 나아가려는 의지의 투영이다.

일단 활을 쏜 후에는 과녁을 향해 날아가는 화살을 눈으로 좇는 것 말고는 할 수 있는 게 아무것도 없다. 활을 쏘는 순간까지의 팽팽했던 긴장은 그 순간부터 더이상 필요치 않다. 그렇기 때문에 날아가는 화살을 좇으면서도, 심장의 고동은 잦아들고 얼굴에는 고요한 미소가 퍼져간다.

활쏘는 이가 부단히 연습하고, 직관을 갈고닦고, 발사하는 과정

내내 품위와 집중력을 유지해왔다면, 그는 이 순간 우주가 현존함을 느끼게 될 것이다. 그는 자신의 동작이 합당하며 보상받게 되리라는 것을 안다.

활시위를 당길 준비를 하고, 호흡을 고르고, 눈으로 과녁을 정확히 응시하는 것은 기술에 달렸다. 그리고 발사의 순간을 완성시키는 것은 직관이다.

양팔을 내린 채 눈으로 화살을 좇는 궁수를 우연히 지켜본 사람은 그가 아무것도 하지 않고 있다고 생각할 것이다. 하지만 그의 동료들은 안다. 그 순간 그의 정신이 다른 차원에 가 있다는 것을. 바로 그 순간, 그는 온 우주와 교감하고 있는 것이다. 그의 정신은 그 어느 때보다 활발히 움직인다. 그는 그 순간에 얻어지는 긍정적인 면들을 마음에 새기며, 저지르기 쉬운 실수를 바로잡고, 그 실수들 속에서도 좋은 측면을 포용하면서, 과연 과녁이 화살을 어떻게 받아들일지를 지켜보려 기다리고 있는 것이다.

시위를 당기는 순간, 궁수는 활 속에서 온 세상을 본다. 그의 눈이 날아가는 화살을 뒤따를 때 세상은 그에게 가까워지고, 그를 보듬고, 책임을 완수했다는 충일감을 안겨준다.

책임을 완수하고 생각한 바를 행동으로 실천했을 때, 궁수는 어떤 두려움도 느끼지 않는다. 그는 해야 할 일을 했고, 두려움 앞에서 물러서지 않았다. 과녁을 빗맞혔더라도 그에게는 새로운 기회가 올 것이다. 그는 비겁하지 않았으므로.

연필 같은 사람

할머니가 편지 쓰는 모습을 지켜보던 소년이 문득 물었다.

"할머니, 우리 이야기를 쓰고 계신 거예요? 혹시 저에 관한 이야기인가요?"

할머니는 쓰던 손길을 멈추고 손자에게 대답했다.

"그래, 너에 대한 이야기지. 하지만 무슨 이야기를 쓰느냐보다 중요한 것은, 내가 쓰고 있는 이 연필이란다. 이 할머니는 네가 커서 이 연필 같은 사람이 되었으면 좋겠구나."

소년은 의아한 표정으로 연필을 주시했지만 특별히 눈에 띄는 점은 없었다.

"하지만 늘 보던 거랑 다를 게 하나도 없는데요!"

"그건 어떻게 보느냐에 달린 문제란다. 연필에는 다섯 가지 특징이 있어. 그걸 네 것으로 할 수 있다면 조화로운 삶을 살 수 있을 게야.

첫번째 특징은 말이다, 네가 장차 커서 큰일을 하게 될 수도 있겠지? 그때 연필을 이끄는 손과 같은 존재가 네게 있음을 알려주는 거란다. 명심하렴. 우리는 그 존재를 신이라고 부르지. 그분은 언제나 너를 당신 뜻대로 인도하신단다.

두번째는 가끔은 쓰던 걸 멈추고 연필을 깎아야 할 때도 있다는 사실이야. 당장은 좀 아파도 심을 더 예리하게 쓸 수 있지. 너도 그렇게 고통과 슬픔을 견뎌내는 법을 배워야 해. 그래야 더 나은 사람이 될 수 있는 게야.

세번째는 실수를 지울 수 있도록 지우개가 달려 있다는 점이란다. 잘못된 걸 바로잡는 건 부끄러운 일이 아니야. 오히려 우리가 옳은 길을 걷도록 이끌어주지.

네번째는 연필에서 가장 중요한 건 외피를 감싼 나무가 아니라 그 안에 든 심이라는 거야. 그러니 늘 네 마음속에서 어떤 일이 일어나고 있는지 그 소리에 귀를 기울이렴.

마지막 다섯번째는 연필이 항상 흔적을 남긴다는 사실이야. 마찬가지로 네가 살면서 행하는 모든 일 역시 흔적을 남긴다는 걸 명심하렴. 우리는 스스로 무슨 일을 하고 있는지 늘 의식하면서 살아야 하는 거란다."

산을 오르는
열한 가지 방법

내가 오르고 싶은 산을 오른다

'저 산이 더 멋져' '저 산이 더 쉽겠는데', 이런 타인의 말에 현혹되지 않는다. 목표에 이르기 위해 우리는 많은 힘과 열정을 쏟아야 하고, 그 선택에 대한 책임은 오롯이 우리 몫이다. 그러므로 우리가 하는 일에 확신을 가져야 한다.

산에 이르는 길을 찾는다

산은 멀리서 보면 멋있고, 재미있어 보이고, 도전의식을 불러일으킨다. 하지만 막상 가까이 다가가면 몇 겹의 길이 목적지를 에워싸고 있거나 숲이 그 앞을 가로막고 있기 십상이며, 지도상으로는 명백해 보이던 것도 실제로는 훨씬 복잡하다. 그러니, 오솔길이든 샛길이든 가리지 말고 더듬어가야 한다. 오르고자 하는 봉우리와 언젠가 마주하게 될 때까지.

먼저 간 사람에게 배운다

아무리 독창적인 것을 꿈꾸더라도, 언제나 똑같은 꿈을 그보다 먼저 꿨던 사람들이 있게 마련이다. 그리고 그들이 남긴 자취는 산을 오르는 우리의 발걸음을 가볍게 해준다. 적절한 자리에 설치된 로프나 사람들의 발자국으로 다져진 오솔길, 길을 가로막는 나뭇가지들을 쳐내고 앞서 간 사람들의 흔적 덕분에 산에 오르는 길은 한결 수월해진다. 산을 오르는 사람은 우리 자신이며, 그 경험에 대한 책임을 지는 것 역시 우리 자신이다. 그럼에도, 언제나 우리가 타인의 경험으로부터 도움을 받는다는 것을 잊지 말자.

위험은 언제 닥칠지 모르지만, 예방 가능하다

꿈에 그리던 산을 오르기 시작하면서부터는, 주위를 둘러본다. 낭떠러지는 물론이고, 눈에 띄지 않는 갈라진 틈이나 풍상에 닳아 얼음처럼 미끄러워진 바위들이 있게 마련이다. 그러나 발 디디는 자리가 어딘지 정확히 알고 있으면, 위험을 감지할 수 있고 그것을 통제할 수 있다.

변화하는 풍경을 마음껏 누린다

우리는 정상에 오른다는 목표를 항상 유념해야 한다. 하지만 산을 오르는 동안 펼쳐지는 무수한 볼거리 앞에서 이따금 멈춰 선다고 큰일이 날 것까진 없다. 한 걸음 한 걸음 올라갈수록 시야는 넓어진다. 이를 통해 지금까지 인식하지 못했던 사물을 발견해보면 어떨까.

자신의 몸을 소중히 돌본다

몸의 가치를 알고 소중히 여기는 사람만이 정상에 오를 수 있다. 삶은 우리에게 충분한 시간을 준다. 그러니 몸에 무리한 요구를 하지 마라. 발길을 너무 서두르다보면 쉬이 피로해지고 도중에 포기하게 된다. 반대로 너무 늑장을 부리면 어둠이 내려 길을 잃는다. 경치를 즐기고 시원한 계곡물을 마시며 자연이 선물하는 넉넉한 과실을 즐기되, 성큼성큼 앞으로 나아가라!

자신의 영혼을 믿는다

산을 오르는 동안, 끊임없이 '난 해낼 거야' 하고 되뇔 필요는 없다. 우리의 영혼은 이미 그 사실을 알고 있으니까. 산을 오르는 긴 여정 동안, 자신을 성장시키고 자아의 지평을 넓히고 스스로의 한계에 도전하면 된다. 집착은 산을 오르는 즐거움을 앗아갈 뿐, 목표를 달성하는 데 아무 도움을 주지 못한다. 그렇다고 시도 때도 없이 '생각보다 어렵군' 하고 투덜대는 건 곤란하다. 그건 우리의 내적 에너지를 고갈시킬 뿐이니까.

조금만 더 가면 된다는 마음을 갖는다

산봉우리에 이르는 길은 언제나 생각보다 멀다. 가깝게 보이던 길도 계속 멀게만 보인다. 하지만 앞으로 조금 더 가면 된다고 마음먹으면 그런 것쯤은 장애가 되지 않는다.

정상에 오르면 마음껏 기쁨을 맛본다

정상에 오르면 울고 손뼉치고 큰 소리로 외치자. '나는 해냈다'고. 바람에 영혼을 씻고(정상에는 항상 바람이 분다), 달아오른 몸을 식히고, 땀에 절어버린 피로한 발을 쉬게 하고, 눈을 크게 뜬 채로 마음의 먼지를 털어내자. 한때 꿈이며 머나먼 이상이었던 것이 이제 우리 삶의 일부가 되었다. 우린 해냈다, 그것도 아주 멋지게.

한 가지 약속을 하자

이제 우리는 지금껏 알지 못했던 내면의 강인함을 발견했다. 스스로에게 말해두자, 남은 생애 동안 지금의 이 경험이 반드시 유용하게 쓰일 것이라고. 그리고 약속하자. 또다른 산을 찾아, 새로운 모험에 도전하겠노라고.

우리의 경험을 타인과 나누자

그렇다. 우리의 경험을 남들에게도 들려주자. 다른 사람들에게 본이 되도록. 그것이 가능하다는 것을 소리 내어 알리면, 그들도 각자의 산에 오를 용기를 내게 될 것이다.

가지 않은 길

프랑스 시골 마을의 방앗간을 개조한 우리집과 이웃집 농장 사이엔 나무들이 한 줄로 길게 늘어서 있다.

얼마 전 옆집 노인이 나를 찾아왔다. 이 양반, 한 일흔 살은 되지 않았을까. 가끔 그와 그의 아내가 들판에서 일하는 모습을 보면서, 이젠 쉴 때도 되지 않았나 하는 생각을 했다.

노인은 사람 좋은 얼굴을 하고, 우리집 나무의 잎들이 자기네 지붕 위로 떨어져 쌓이니 나무를 베어달라고 말했다.

나는 적잖이 충격을 받았다. 평생을 자연과 더불어 살아온 사람이, 어떻게 십 년 안에 지붕이 망가질지도 모른다는 이유만으로 그 자리에서 오랫동안 살아온 나무를 베어버리라고 말할 수 있는가.

나는 일단 그에게 커피나 한잔 하자고 권했다. 그리고 책임은 내가 지겠다, 바람이 불거나 장마가 지는 여름이 오면 낙엽은 씻은 듯 사라져버릴 텐데, 그래도 지붕에 피해가 간다면 그때는 지붕을 고칠 돈을 드리겠다고 했다. 하지만 옆집 노인네는 막무가내였다. 나는 은근히 부아가 치밀어, 정 그렇다면 농장을 나한테 팔라고 제안했다.

"내 땅은 팔 물건이 아니오."

노인이 말했다.

"그 돈이면 시내에 멋진 집도 장만하고, 부인과 함께 편안한 여생을 보내실 수 있을 텐데요. 겨울 추위도, 흉작 걱정도 없을 거고요."

"그 농장은 팔 게 아니라니까 그러네. 나는 여기서 나고 자란 사람이오. 이 나이에 가긴 어딜 가."

노인은 시내에서 전문가를 불러 상황을 보여주고 판단해달라고 하자고 제안했다. 명색이 이웃인데 그러면 서로 얼굴 붉힐 일도 없지 않겠느냐고.

그가 돌아간 뒤 가장 먼저 떠오른 것은 만물의 모태인 자연을 마구잡이로 대하는 그를 탓하는 마음이었다. 그런 뒤, 문득 궁금한 마음이 들었다. 왜 땅을 팔지 않겠다는 거지?

그날이 가기 전에 나는 하나의 결론에 도달했다. 노인의 삶에 펼쳐진 이야기는 지금까지 단 하나뿐이었고, 그는 그것을 바꿀 맘이 없다는 것이었다. 시내로 이사한다는 건 지금까지와는 다른 가치관이 적용되는 미지의 세계로 뛰어드는 것을 의미한다. 무언가를 바꾸기에 그는 자신이 너무 늙었다고 생각하는지도 모른다.

그렇게 생각하는 것이 이웃 노인뿐일까? 아니다. 우리들 대부분이 그럴 게다. 때로 우리는 살아온 방식에 얽매여 좋은 기회를 놓쳐버리고 만다. 기회가 와도 활용할 방법을 알지 못하기 때문이다. 이웃 노인이 익숙해하는 공간은 오로지 그의 농장과 마을뿐이고, 그러므로 그에겐 위험을 감수해야 할 이유가 없는 것이다. 도시에 사는 사람들은 또 어떤가. 너나없이 대학은 꼭 가야 한다고 믿으며, 결혼하고, 자식을 낳고, 그 아이들을 또 대학에 보낸다. 그런 삶을 되풀이하며 아무도 스스로에게 묻지 않는다. '난 좀 다르게 살 수 없을까?' 라고.

사회학과에 다니는 딸을 졸업시켜야 한다는 일념으로 밤낮없이 일하던 내 단골 이발사가 떠오른다. 그의 딸은 졸업장을 따고 여기저기 취업문을 두드린 끝에 시멘트 공장에서 비서로 일하게 되었다. 이발사는 여전히 입버릇처럼 뿌듯하게 말한다. "우리 딸은 대학을 나왔어요."

내 친구들과 그 자녀들 대부분도 대학을 나왔다. 그런데 그들이 원하던 일자리를 얻었을까? 그 반대다. 그들은 대학만 가면 인생이 풀린다고 믿던 시절, 뭐라도 되려면 대학졸업장이 필요하다고 하니까 그렇게 했을 뿐이다. 그런 식으로 솜씨 좋은 정원사, 제빵사, 골동품상, 조각가, 작가들이 사라져갔다.

이제는 이 모든 걸 되돌아봐야 할 시기가 아닐까. 의사, 엔지니어, 학자나 변호사가 되고 싶다면 대학에 가야 한다. 하지만 모든 사람이 그럴 필요가 있을까? 그 대답은 로버트 프로스트의 시구로 대신하겠다.

먼 훗날 어디선가
나는 한숨을 쉬며 이야기할 겁니다.
숲속엔 두 갈래 길이 있었다고,

나는 사람이 적게 간 길을 택하였다고,
그리고 그것 때문에 모든 것이 달라졌다고.

잠깐. 이웃집 노인과의 이야기를 마무리하자. 전문가가 와서 뜻밖의 의견을 내놓았다. 그는 프랑스 법에 나무를 심으려면 이웃의 대지로부터 최소 삼 미터 이상 간격을 두어야 한다는 조항이 있다고 했다. 그런데 우리 나무는 옆집으로부터 불과 이 미터밖에 떨어져 있지 않기 때문에, 결국 나무를 베어내야만 할 거라고.

사랑,
그것이면 충분하다

한 일본 기자가 질문했다.

"좋아하는 작가는 누구입니까?"

늘 받던 질문이어서 나는 평소대로 대답했다.

"조르지 아마두, 호르헤 루이스 보르헤스, 윌리엄 블레이크, 헨리 밀러입니다."

통역자가 놀란 눈으로 나를 쳐다보았다.

"헨리 밀러요?"

그러나 그녀는 이내 질문을 던지는 건 자신의 본분이 아님을 깨닫고 통역을 계속했다. 인터뷰가 끝난 후 나는 그녀에게 내 대답에 왜 그렇게 놀랐느냐고 물었다. 혹시 헨리 밀러가 '정치적으로 올바른' 작가로 여겨지지 않기 때문이냐고. 어쨌든 그는 내게 거대한 세상을 열어준 사람이고, 그의 작품에는 현대문학에서 좀처럼 만나기 힘든 에너지와 생명력이 담겨 있다.

"헨리 밀러가 나쁘다는 게 아니에요. 저도 무척 좋아하는 작가인걸요." 통역자가 대답했다. "그가 일본 여자와 결혼했던 건 아시나요?"

알다 뿐인가. 나는 팬으로서 한 작가와 그의 삶에 대해 속속들이 알고 싶어하는 게 결코 부끄러운 태도라고 생각지 않는다. 내 경우만 해도 그렇다. 나는 조르지 아마두를 만나겠다는 일념만으로 도서전에 간 적도 있고, 호르헤 루이스 보르헤스를 만나고자 마흔여덟 시간 동안 버스를 타고 간 적도 있다(그 만남이 제대로 성사되지 못한 건 순전히 내 탓이다. 막상 그를 만나자 얼어붙어서 말 한마디 제대로 하지 못했다). 뉴욕에 갔을 때는 존 레넌 집의 초인종을 누른 적도 있다(건물 경비는 메모를 남기면 전해주겠다고 하면서 존 레넌이 전화를 해줄지도 모른다고 했다. 하지만 전화는 오지 않았다). 심지어 헨리 밀러를 찾아 빅서에 갈 계획을 세우기도 했지만, 여행 경비를 다 모으기도 전에 밀러는 세상을 떠났다.

"그 일본 여자 이름은 호키지요." 내가 으스대며 말했다. "도쿄에 헨리 밀러 수채화 미술관이 있다는 것도 알아요."

"오늘 저녁에 그분을 한번 만나보실래요?"

뭐라고! 내가 존경하는 사람과 한때 함께 살았던 사람을 만나고 싶냐고? 너무나 당연한 일 아닌가. 불현듯 그녀를 만나기 위해 세계 각지에서 사람들이 찾아올 테고, 인터뷰 요청도 무수히 많을 거라는 생각이 들었다. 어쨌거나 십 년 동안 헨리 밀러와 함께 산 사람이 아닌가. 그런 이가 고작 한 사람의 팬 때문에 시간을 낭비하고 싶을까. 하지만 통역자가 된다고 했으니 믿어보자. 일본 사람들은 허튼소리는 잘 안 하니까.

나는 그날 남은 시간 동안 대답을 목이 빠져라 기다렸다. 택시에 오른 다음부터는 모든 것이 비현실적으로 느껴졌다. 우리는 철로가 머리 바로 위를 가로지르는, 햇볕 들 일이 없을 듯한 어느 골목에 내렸다. 통역자는 낡은 건물 이층의 허름한 바를 가리켰다.

계단을 올라가니 바는 텅 비어 있었다. 그리고 거기 호키 밀러가 있었다.

나는 흥분을 감추기 위해 그녀의 옛 남편에 대한 찬사를 호들갑스레 늘어놓았다. 호키는 작은 박물관으로 꾸며놓은 뒷방으로 나를 안내했다. 방 안에 있는 것은 몇 장의 사진과 서명을 한 수채화 세 점, 헌사가 씌어진 책 한 권이 전부였다.

그녀가 헨리 밀러를 만난 건 로스앤젤레스에서 석사과정을 이수하던 때였다. 당시 호키는 레스토랑에서 피아노를 연주하며 노래를 부르는 아르바이트를 하고 있었다. 그녀는 일본어로 번안된 프랑스 상송을 불렀고, 그곳에서 저녁을 먹던 밀러가 그녀의 상송을 마음에 들어했다(그는 파리에서 오랜 기간을 살았다). 두 사람의 외출이 몇 차례 이어진 어느 날, 밀러는 그녀에게 청혼을 했다.

그녀가 그를 처음 만났던 그날처럼, 우리가 앉아 있는 바에도 피아노가 있었다. 호키는 밀러와의 결혼생활중에 있었던 멋진 일화들을 들려주었다. 나이차로 인한 불화(밀러는 당시 쉰 살이 넘었고, 호키는 스무 살도 채 안 된 나이였다)와 함께한 시간들에 대해서도 이야기했다. 저작권을 포함한 전 재산은 밀러와 그의 전처들 사이에서 태어난 자녀들이 상속받았다고 그녀는 말했다. 하지만 그런 것은 그녀에게 중요하지 않았다. 그와 함께한 세월은 값으로 따질 수 없는 것이니까.

나는 오래전 밀러와 처음 만난 그날, 그녀가 부른 상송을 불러달라고 청했다. 그녀는 눈물을 글썽이며 〈고엽〉을 불렀다.

통역자와 나 역시 감동했다. 바와 피아노와 노래, 빈 공간에 울리는 일본 여인의 목소리. 호키는 대문호의 미망인이라면 으레 누리려 할 법한 것들에 초연했고, 밀러의 책이 벌어들이는 돈이나 국제적 명성을 이용하려 하지도 않았다.

"유산을 두고 싸우는 건 의미가 없었어요. 사랑으로 충분하니까요."

헤어지면서, 우리의 속마음을 읽은 듯 그녀가 말했다. 나는 그녀를 믿는다. 그녀에게서는 어떤 비통함도 분노도 보이지 않았으므로.

그랬다, 사랑이면 충분했다.

눈을 맞추세요

테오 비에레마는 한마디로 끈질긴 남자였다. 그는 바르셀로나에 있는 내 에이전시 사무실로 오 년 동안이나 줄기차게 편지를 보내왔다. 네덜란드 헤이그에 와서 강연을 해달라는 것이었다.

사무실에서는 내 일정이 꽉 차 있어 곤란하다는 답장으로 일관했다. 솔직히 내 일정이 언제나 빡빡한 것은 아니다. 하지만 작가가 대중 앞에서 꼭 강연을 하라는 법은 없지 않은가. 게다가 내가 말하고자 하는 바는 이미 책과 기사에 다 썼는데, 굳이 강연까지 다닐 필요가 있을까.

어쨌든 테오는 내가 네덜란드의 한 방송국과 촬영 예정이 있다는 것을 알아냈다. 촬영을 하러 호텔 로비로 내려왔을 때, 그는 나를 기다리고 있었다. 그는 자기소개를 한 후 동행해도 되겠냐고 묻고는 덧붙여 말했다.

"나는 '안 된다'는 대답에 무조건 기분 나빠하는 사람은 아닙니다.

그보다는 먼저 내가 목표에서 벗어나 그릇된 길을 가고 있는 건 아닌지 늘 생각해보려 하지요."

꿈을 이루기 위해서는 부단히 노력해야 하지만, 어떤 길이 불가능하다는 걸 알았을 때는 다른 길을 가기 위해 힘을 아낄 줄도 알아야 한다. 나는 한마디로 '안 된다'고 딱 잘라 거절할 수도 있었다(나 역시 누군가에게 자주 하기도 하고, 듣기도 했던 말이다). 하지만 나는 좀더 외교적인 방법을 택하기로 했다. 그에게 감당할 수 없는 조건을 내걸기로 한 것이다.

나는 강연은 무료로 하겠다, 대신 강연장 입장료가 이 유로를 넘어서는 안 되고 청중도 이백 명 이상은 안 된다고 말했다.

테오는 동의했다.

"수입보다 지출이 많을 텐데요." 나는 그에게 주의를 주었다. "어림잡아 비행기 표와 호텔 체류비만도 강연 수익의 세 배는 넘을 겁니다. 홍보비와 강연장 대여료를 제외하고도……"

테오가 내 말을 자르며 말했다. 그런 것들은 부수적일 뿐이며, 그는 이 일을 통해 도모하는 바가 따로 있다고.

"이 행사를 주관하려는 건, 인류가 여전히 더 나은 세상을 추구하고 있다는 믿음을 간직하고 싶어서입니다. 그걸 가능케 하는 데 헌신해야 합니다."

"실례지만, 무슨 일을 하십니까?"

"교회를 팝니다."

어리둥절해하는 나를 보며 그는 말을 이었다.

"저는 바티칸을 위해 교회 매입자를 찾아주는 일을 합니다. 네덜란드에는 신자 수보다 교회가 더 많지요. 신자 수가 그만큼 줄어든 것이죠. 그러다 보니 교회가 팔리는데, 성전이 나이트클럽이나 콘도미니엄, 부티크, 심지어는 섹스숍으로까지 탈바꿈하는 험한 꼴을 보게 된 후로 우리는 매매 방식을 바꾸게 되었습니다. 프로젝트는 주민의 동의를 얻어야 하고, 교회를 매입하는 사람은 우리에게 그 용도를 밝혀야 합니다. 대체로 문화센터나 복지시설, 박물관 등의 프로젝트만 허용하고 있습니다. 그게 선생님의 강연이나 제가 기획하는 다른 행사들과 무슨 상관인지 궁금하시겠죠? 요즘 사람들은 통 얼굴을 마주하지를 않습니다. 서로 만나지 않으면 사람은 성숙해질 수가 없어요."

그는 내 눈을 똑바로 바라보며 말을 맺었다.

"그렇습니다. '만남'이 필요한 거죠. 제가 오 년 내내 실수했던 게 바로 그 부분이었습니다. 당신에게 그저 이메일만 보낼 게 아니라 제가 피와 살을 가진 존재라는 걸 보여드려야 했는데 말이죠. 한번은 유명 정치인에게서 대답을 기다리다 못해 직접 찾아가 그의 방문을 두드렸던 적이 있었습니다. 그가 내게 이렇게 말하더군요. '뭔가를 원한다면, 먼저 상대와 눈을 맞추십시오.' 그의 말대로 한 다음부터는 좋은 일만 생겼습니다. 세상의 어떤 소통 방식도 눈을 맞추는 것보다 나은 것은 없습니다."

당연히 나는 그의 초대를 받아들였다.

덧붙이는 이야기.

강연 차 헤이그로 갔을 때 나는 그에게 팔려고 내놓은 교회들을 몇 군데 보여달라고 했다. 화가인 아내가 오래전부터 문화센터를 운영하고 싶어했기 때문이었다. 한때는 매주 오백여 명의 신자를 수용했다는 성전의 가격을 물었다. 가격은 일 유로였다(일 유로!). 단, 유지비는 천문학적인 단위가 들 수도 있다고 한다.

칭기즈 칸과
그의 매

얼마 전, 중앙아시아의 카자흐스탄을 방문했을 때 나는 아직도 매를 이용해 사냥을 하는 사냥꾼들과 동행할 기회가 있었다. 지금 나는 '사냥'이라는 것에 대해 왈가왈부할 생각은 없다. 그저 자연에는 나름의 돌아가는 방식이 있다는 정도만 덧붙여두련다.

그날은 통역자가 없어서 오히려 득이 된 경우였다. '시바구치'라 불리는 매사냥꾼들과 말이 통하지 않았던 덕분에 그들의 행동을 더 유심히 관찰할 수 있었던 것이다. 일행이 걸음을 멈추었을 때, 매를 팔뚝에 올리고 있던 사내가 무리에서 조금 떨어진 곳으로 나아가더니, 새의 머리에서 작은 은색 투구를 벗겨냈다. 그가 왜 하필 그곳에 멈췄는지는 알 수도 없었고 물어볼 수도 없었다.

훌쩍 날아오른 매는 공중을 몇 바퀴 맴돌다가 쏜살같이 내려와 포획물을 덮치더니 그 자리에서 꼼짝도 하지 않았다. 다가가보니 매는 암여우 한 마리를 발톱으로 움켜쥐고 있었다. 나는 그런 장면을 그날 아침 거듭해서 목격했다.

마을로 돌아와 나는 사람들에게 물었다. 대체 어떻게 길들였기에 매가 시키는 대로 사냥을 하고 얌전히 주인 팔뚝 위에 앉아 있느냐고 (매는 내 팔뚝 위에서도 얌전했다. 사냥꾼들이 내 팔에 가죽으로 만든 토시 같은 것을 둘러준 덕분에 나는 매의 뾰족한 발톱을 가까이서 볼 수 있었다).

물어보았자 소용없는 질문이었다. 누구도 그것을 명쾌하게 설명하지 못했다. 그저 조상 대대로 전해내려오는 기술이라는 것이었다. 아버지가 아들에게, 아들은 그 아들에게 전수해온 기술. 저 멀리 펼쳐진 눈 덮인 산, 말과 기수의 실루엣, 팔뚝에 앉아 있던 매가 기수의 팔을 떠나 정확히 포획물을 덮치던 모습. 그것은 결코 잊지 못할 순간이었다.

나를 초대한 사람들 중 하나가 점심을 먹으며 들려준 이야기 역시 내게 깊은 인상을 남겼다.

어느 날 아침 칭기즈 칸이 부하들과 함께 사냥을 나갔다. 활과 화살을 든 부하들이 팔뚝에 매를 얹은 칭기즈 칸의 뒤를 따랐다. 매는 하늘 높이 날아올라 사람의 눈에는 보이지 않는 것들을 볼 수 있었고, 그 어떤 화살보다 정확하고 빠른 무기였다.

그러나 넘치는 의욕에도 불구하고, 그날 그들은 포획물을 단 한 마리도 건지지 못했다. 칭기즈 칸은 실망한 채 막사로 돌아왔다가 다시 홀로 사냥을 나섰다. 공연히 부하들에게 역정을 낼 것 같아 마음을 다스리기 위해서였다. 사냥이 생각보다 길어지자 피곤하고 목이 탔지만, 여름 가뭄으로 시냇물이 다 말라버려 마실 물을 찾을 수 없었다. 그러다가 마침내 기적처럼, 바위를 타고 흘러내리는 작은 물줄기가 눈앞에 나타났다.

그는 즉시 매를 내려놓고 늘 지니고 다니던 은잔을 꺼내 물을 받았다. 잔에 물이 찰 때까지는 한참이 걸렸다. 그런데 그가 물을 입에 가져다 대는 순간, 매가 날아올라 그의 손에 들린 은잔을 채어 떨어뜨리는 것이 아닌가.

칭기즈 칸은 화가 났지만, 워낙 애지중지하던 짐승이었기에 아마 저도 목이 마른가보다 생각하고 말았다. 그는 잔을 집어들어 흙을 털어내고 다시 물을 받았다. 잔이 반쯤 찼을까, 매는 이번에도 달려들어 물을 쏟았다.

제아무리 사랑하는 짐승이라 해도 이번만큼은 매의 방자함을 용서할 수가 없었다. 누군가 멀리서 이 모습을 지켜보고 그의 병사들에게, 위대한 정복자가 새 한 마리도 제대로 다루지 못하더라는 말을 퍼뜨릴 수도 있었다.

검을 빼어든 칭기즈 칸은 한쪽 눈으로는 샘물을, 다른 쪽 눈으로는 매를 지켜보며 다시 잔이 차오르기를 기다렸다. 그리고 물을 막 마시려는 순간, 매가 날아올라 그에게 달려들었다. 칭기즈 칸은 매의 가슴을 단칼에 내리쳤다.

그리고 다시 고개를 돌리니, 흐르던 물줄기가 끊어져 있는 게 아닌가. 마실 물을 찾으려고 벼랑을 기어오른 칭기즈 칸의 눈앞에 펼쳐진 광경은 놀라웠다. 물웅덩이 근방에 독하기로 소문난 독사가 죽어 있었던 것이다. 물을 마셨다면 그도 죽었을 터였다.

칭기즈 칸은 죽은 매를 옆구리에 끼고 막사로 돌아와 금으로 그

형상을 뜨게 하고 한쪽 날개에 다음과 같은 문구를 새겼다.

'분노로 행한 일은 실패하게 마련이다.'

다른 날개에는 이렇게 새겼다.

'설령 마음에 들지 않는 행동을 하더라도, 벗은 여전히 벗이다.'

남의 정원을
돌보시느라

아랍에 이런 경구가 있다.

'바보에게 천 가지 지혜를 가르쳐준들 그가 원하는 것은 정작 네 것뿐이리니.'

삶의 정원을 일궈나가다 보면 우리는 문득 어디선가 우리를 엿보는 이웃을 의식하게 된다. 그는 제 할 일은 제쳐둔 채, 우리에게 언제 행동의 씨앗을 뿌려야 하는지, 언제 생각의 비료를 줘야 하는지, 언제 성취의 물을 부어야 하는지 충고하는 데 열을 올린다.

그의 말에 귀 기울이다 보면 결국 우리는 그를 위해 일하는 것이나 다름없게 되고, 우리 삶의 정원은 이웃의 뜻대로 되어갈 것이다. 그리하여 끝내는 비지땀을 쏟고 축복의 거름을 주어 일군 우리의 땅을 알아보지도 못할 지경에 이르게 된다. 땅 한 뼘 한 뼘에 정원사의 인내 어린 손길만이 풀어갈 수 있는 비밀이 서려 있음을 까맣게 잊고, 해와 비와 계절의 변화를 살피는 대신, 울타리 너머 우리를 곁눈

질하는 이웃의 충고에만 매달리게 될 것이다.

그러나 남의 정원에 대해 말하기 좋아하는 그 바보는, 제 뜰의 꽃과 나무는 안중에도 없다.

판도라의 상자

어느 날 아침, 각기 다른 대륙에서 세 가지 징조가 내게 날아들었다.

첫번째는 기자인 라우루 자르딩이 보낸 메일로, 그는 나에 관한 몇몇 사실을 확인해달라고 부탁하면서 리우데자네이루 호싱야* 지역의 현재 상황에 대해 언급했다. 두번째는 프랑스에 도착한 아내에게서 온 전화였다. 아내가 친하게 지내는 프랑스 부부에게 브라질을 소개할 겸 그들과 함께 여행했는데, 여행을 마친 부부가 충격과 실망을 금치 못하더라는 것이었다. 마지막은 인터뷰 차 방문했던 러시아 텔레비전 방송국 기자의 질문이었다. 그는 1980년부터 2000년까지 브라질에서 살해된 사람의 수가 오십만 명에 이른다던데 사실이냐고 물었다.

그럴 리가 없습니다, 나는 대답했다.

* 15만 명이 거주하는 중남미 최대의 빈민 지역.

하지만 기자는 '어느 브라질 기관'(알고 보니 브라질 지리통계청이었다)에서 발표한 통계자료를 들이밀었다.

나는 입을 다물 수밖에 없었다. 내 나라에서 일어나는 폭력사태에 관한 소식이 산 넘고 바다 건너 중앙아시아에 있는 다른 나라에까지 도달했다. 내가 무슨 할말이 있으랴.

'행동이 따르지 않는 말은 독을 키운다.' 문호 윌리엄 블레이크는 이렇게 말했다. 나는 늘 세상에서 내 몫을 하려고 애써왔고, 그런 취지에서 비영리단체를 설립했다. 이사벨라와 욜란다 말타롤리라는 훌륭한 두 사람이 이끌고 있는 이 단체는 빈민가 판자촌인 파방 파방지뇨에 사는 삼백육십여 명의 어린이들을 가르치고, 돌보고, 사랑을 베푸는 곳이다. 나는 지금 이 순간에도 수많은 브라질 사람들이 나라의 지원이나 개인의 후원 없이, 가장 끔찍한 적인 '절망'으로부터 그저 그들 자신을 지키기 위해 묵묵히 일하고 있다는 것을 안다.

한때 나는 한 사람 한 사람이 자기 소명을 다하면 세상이 달라질 거라고 믿었다. 하지만 오늘 밤, 중국과 국경을 맞댄 눈 덮인 산을 바라보고 있으려니 문득 그 믿음에 회의가 든다.

"말로써 폭력에 대적할 길은 없다"고 했다. 철없던 어린 시절 입버릇처럼 내뱉던 그 말이 어쩌면 여전히 유효한지도 모르겠다.

나는 다시 달빛이 내리는 산으로 시선을 든다. 무력 앞에서는 모든 논쟁이 무력하다는 게 사실일까. 다른 모든 브라질 사람들처럼 나 역시 싸웠고, 언젠가는 조국의 상황이 나아질 거라 믿으려 했다. 하지만 해를 거듭할수록 모든 것은 더욱 복잡해져만 갔다. 대통령이나 집권당이나 경제 정책이 문제가 아니었다. 사실은 그 모든 게 존재하지 않는다 해도 상관없을 정도였다.

나는 세계 도처에서 폭력을 목격했다. 이스라엘 레바논 전쟁 직후, 나는 쇠울라 사드라는 친구와 함께 초토화된 베이루트의 거리를 걸었다. 친구는 도시가 파괴된 것이 벌써 일곱번째라고 했다. 나는 농담 삼아 집을 다시 지을 생각일랑 말고 다른 곳으로 이사를 가는 편이 낫지 않느냐고 했다. "우리의 도시인걸요." 그녀가 대답했다. "조상이 묻힌 땅을 경외하지 않으면 영원히 저주에서 풀려날 수 없어요."

조국을 소중히 여기지 않는 이는 자기 자신도 소중히 여기지 않는다. 그리스 신화에서 제우스는 판도라를 내려보내 프로메테우스의 동생 에피메테우스와 결혼시킨다. 프로메테우스가 불을 훔쳐다 인간에게 줌으로써 인간이 독립성을 가지게 된 것에 보복하기 위해서였다. 제우스는 판도라에게 상자 하나를 들려 보내면서, 절대로 열어봐서는 안 된다고 신신당부한다. 그러나 성서의 이브처럼 판도라 역시 호기심을 억누르지 못했다. 그녀가 더이상 참지 못하고 상자의 뚜껑을 여는 순간, 세상의 모든 죄악이 튀어나와 인간 세상을 뒤덮었다. 그때 단 한 가지 상자 안에 남은 것이 있었다. 희망이었다.

그러니, 나는 나를 살아 있게 하는 단 하나의 힘인 그것을 결코 버릴 수 없다. 모든 것이 절망적일지라도, 슬프고 무기력한 감정이 나를 짓누를지라도, 지금 이 순간 나아질 것은 아무것도 없으리라는 확신이 내 마음을 지배할지라도.

희망. 그것은 사이비 지식인들이 '자기기만'의 동의어로 사용하는 말이며, 지키지 못할 게 뻔한 공약을 내세우는 정부가 써먹는 말이기도 하다. 그것은 아침부터 우리 곁에 머물다가 상처투성이의 하루를 보낸 뒤, 저물녘에 숨을 거둔다. 그리고 새벽 여명에 다시 살아난다.

그렇다. '말로써 폭력에 대적할 길은 없다.'

하지만 이런 말도 있다. '삶이 있는 곳에 희망도 있다.'

중국 국경으로 이어지는 눈 덮인 산을 바라보며, 나는 그 말에 간절히 매달려본다.

내 안에 온 우주가 존재하는 이치

상파울루에서 태어나 뉴욕에 자리를 잡은 어느 화가의 집에 간 적이 있었다. 우리는 천사와 연금술에 대한 이야기를 주고받았다. 나는 그 자리에 모인 사람들에게 강조하고 싶었다. 연금술의 관점에서 보면 우리는 내면에 온 우주를 담고 있으므로 정말 열심히 살아야 한다고. 그런데 내 말의 요점을 짚어줄 적절한 비유가 좀처럼 떠오르지 않았다.

바로 그때, 잠자코 내 말을 듣고 있던 화가가 사람들에게 자신의 스튜디오 창밖을 보라고 말했다.

"무엇이 보입니까?"

그가 물었다.

"그리니치빌리지 거리요."

몇몇이 대답했다.

화가는 아무것도 보이지 않도록 종이 한 장을 창유리에 붙였다.

그리고 주머니칼로 그 위에 작고 네모난 구멍을 냈다.

"자, 이제 무엇이 보일까요?"

"같은 거리겠죠."

누군가 대답했다.

화가는 종이에 여러 개의 네모난 구멍을 뚫더니 말했다.

"여기 이 작은 네모난 구멍들이 거리를 담고 있듯, 우리 각자도 우주를 담고 있습니다."

그 자리에 있던 모두가 정곡을 찌르는 그 비유에 박수를 보냈다.

숲속 예배당에서 만난 환희

어느 해인가 내 생일날, 하늘이 내게 독자들과 나누고 싶은 선물을 내려주셨다.

아내와 나는 프랑스 남서부의 아즈레라는 작은 도시에 머물고 있었다. 인근의 숲속에는 나무로 뒤덮인 작은 언덕이 있다. 기온은 40도에 달했고, 무더위로 오천여 명이 병원에서 사망한 여름날, 우리는 가뭄으로 엉망이 된 옥수수밭을 바라보고 있었다. 산책할 기분은 나지 않았지만 그래도 나는 아내에게 말했다.

"언젠가 당신을 공항에 데려다주고 돌아오는 길에 이 숲을 산책한 적이 있었어. 정말 아름다운 길을 발견했는데 보여줄까?"

크리스티나가 나무 사이로 보이는 흰 점을 가리키며 뭐냐고 물었다.

"성당이야."

우리가 가려는 길이 바로 그곳으로 이어지는데, 예전에 갔을 때는 성당의 문이 잠겨 있었다고 나는 말했다. 우리처럼 산과 들과 더불어

사는 사람들은 신이 어디에나 현존한다는 것을, 꼭 인간이 지은 건물에 들어가야 신을 만날 수 있는 것은 아니라는 것을 안다. 긴 산책을 하다가, 고요히 기도를 올리고 자연의 음성에 귀를 기울이면, 보이지 않는 세계가 보이는 세계 속에 나타남을 깨닫게 된다.

반시간쯤 언덕을 오르니 숲 한가운데에 성당이 나타났다. 예의 익숙한 질문들이 고개를 들었다. 누가 이곳을 지었지? 왜? 어느 성인을 기리려고?

가까이 다가가자 성당에서 악기 연주에 맞춰 홀로 노래하는 목소리가 들려왔다. 우리를 둘러싼 주변의 공기는 기쁨으로 가득 차 있었다. '지난번에 왔을 때는 스피커 같은 게 없었는데' 하는 기억이 스쳐감과 동시에, 이렇게 인적 드문 곳에서 사람을 끌기 위해 음악을 튼다는 건 좀 이상한 일이라는 생각이 들었다.

지난번과 달리 성당 문은 활짝 열려 있었다. 발을 들여놓으니, 완전히 다른 세상이었다. 본당 안에는 아침 햇살이 일렁였고, 성단에는 성모 마리아 상이 걸려 있었다. 세 줄뿐인 신자석 한쪽에서 무아경에 빠져든 스무 살 남짓의 처녀가 벽에 걸린 성모 마리아 상에 시선을 고정시킨 채 기타를 연주하며 성가를 부르고 있었다.

나는 어디를 가든 처음 교회에 가면 세 개의 초에 불을 붙여 봉헌한다. 하나는 나를 위해, 하나는 내 친구들과 독자들을 위해, 마지막 하나는 나의 일을 위해. 초를 봉헌한 후 나는 주변을 둘러보았다. 처녀는 우리의 존재를 알아채고도 가벼운 미소만 지어 보이고는 연주를 계속했다.

나는 천국에 온 기분이었다. 내 마음에 무슨 일이 벌어지고 있는지 이해라도 한 듯, 그녀는 연주와 휴지(休止)를 조화롭게 이어가며, 이따금 노래를 멈추고 기도를 했다.

나는 내가 잊지 못할 무언가를, 그 순간이 지나간 후에야 비로소 이해할 수 있는 마법 같은 무언가를 경험하고 있음을 깨달았다. 나의 모든 것은 그 순간에 사로잡혀 있었다. 과거도 미래도 없이, 오로지 그 아침과 음악과 감미로움, 그리고 예기치 못하게 터져나온 기도를 음미하는 데 빠져 있었다. 나는 이 세상에 존재하는 것에 대한 경외와 환희 그리고 감사함을 느꼈다. 눈물이 솟았다.

영원처럼 느껴지던 그 순간이 지나고 처녀는 연주를 멈추었다. 나와 아내는 자리에서 일어나 감사의 뜻을 전했다. 나는 그녀에게 그날 아침 내 영혼을 평화로 채워준 것에 대하여 뭔가 선물을 하고 싶다고 했다. 그러나 그녀는 그것이 자신의 아침 일과이며, 자기 나름의 기도일 뿐이라고 대답했다. 그래도 선물을 하겠다고 고집을 부리자 그녀는 망설이다가 수도원의 주소를 적어주었다.

다음날 나는 내 책 한 권을 보냈고, 얼마 후 그녀에게서 답장이 왔다. 그녀는 편지에서 이렇게 이야기했다. 그날 자신은 한 부부와 삶의 경외와 기적을 나누었고, 영혼이 기쁨으로 충만해진 채 그곳을 떠날 수 있었다고.

그 작고 소박한 성당, 처녀의 노랫소리, 만물을 채우던 아침 햇살 속에서 나는 신의 위대함은 항상 소박한 것들 안에 감춰져 있음을 다시금 깨달았다.

저주받은 풀장

오스트레일리아의 바빈다 근처에 갔을 때의 일이다. 수려한 천연 풀장을 바라보고 있는데 그곳에 사는 한 젊은이가 내게로 다가왔다.

"미끄러지지 않게 조심하세요."

그가 경고했다.

돌에 둘러싸인 작은 풀장은 그다지 위험해 보이지 않았다.

"사람들은 이곳을 저주받은 풀장이라고 불러요." 청년은 말을 이어갔다. "옛날에 오로나라는 아름다운 소녀가 살았답니다. 소녀는 바빈다 출신의 전사와 결혼했지요. 하지만 곧 다른 남자와 사랑에 빠졌습니다. 두 사람은 산으로 도망쳤지만 남편이 둘을 찾아내고야 말았어요. 남자는 도망치고 오로나는 이 물에 빠져 목숨을 잃었지요. 그때부터 오로나는 이 풀장에 다가오는 남자들을 모두 자신의 애인으로 착각하고 물속으로 끌고 들어간답니다."

나중에 나는 작은 호텔의 주인에게 저주받은 풀장에 대해 물었다.

"미신이겠지요."

그가 대답했다. 그리고 덧붙였다.

"하지만 지난 십 년 동안 열한 명의 여행객이 그 물에 빠져 죽은 건 사실입니다. 공교롭게도 그들은 모두 남자였지요."

파자마를 입고 죽은 남자

인터넷 신문에 파자마를 입고 숨진 채 발견된 한 남자에 관한 기사가 실렸다. 2004년 6월 10일, 도쿄에서 일어난 일이다.

거기까지라면 특별할 게 없다. 파자마를 입고 죽은 사람들이라면 대개 a) 감사하게도 자다가 숨을 거두었거나 b) 가족과 함께 혹은 병원 침대에 누워 있다 죽었을 것이다. 그러니까, 갑자기 죽음을 맞이한 것이 아니라, 브라질 시인 마누엘 반데이라의 표현처럼 '초대받지 않은 손님'에 대해 미리 마음의 준비를 할 시간이 있었다는 얘기다.

이어지는 기사에 의하면, 남자는 자신의 침실에서 사망했다. 병원에서 죽었다는 가정은 일단 제외된다. 이것으로 우리는 기사 속 인물이 다음날 아침 세상의 빛을 보지 못하리라는 걸 예상치 못하고 잠든 사이에 고통 없이 죽었으리라는 결론에 이를 수 있다.

물론 누군가에 의해 살해되었을 가능성도 남는다.

하지만 도쿄를 아는 사람이라면, 그 거대한 도시가 세상 어느 곳보다 안전하다는 사실도 알 것이다. 언젠가 내 책을 펴낸 도쿄의 출판사 대표와 함께 일본 국내 여행을 앞두고 식사를 하러 갔을 때의 일이다. 자동차 뒷좌석에 나란히 세워둔 트렁크가 훤히 들여다보여 위험해 보였다. 누가 우리 트렁크를 들고 달아나면 어떡하냐고 걱정하는 나에게 출판사 대표는 미소 지으며 걱정할 필요가 없다고 했다. 그는 그런 얘기는 들어본 적도 없다고 나를 안심시켰다. 저녁밥을 먹는 내내 신경이 쓰였지만, 역시 우리 트렁크는 무사했다.

다시 파자마를 입고 죽은 남자의 이야기로 돌아가자. 시체에는 싸움이나 외상의 흔적은 없었다. 한 경찰 고위관리가 제출한 사건 조사 보고서에 의하면, 사내는 심장마비로 숨졌을 확률이 대단히 높았다. 그러니 살해 가능성도 접을 수 있다.

시체는 철거 예정이던 주택가 이층에서, 건설회사 직원에 의해 발견되었다. 이 모든 정황은 우리를 다음과 같은 결론으로 이끈다. 전 세계에서 가장 인구 밀도 높고 생활비가 비싼 도시에 살 형편이 안 되던 남자가 집세 걱정이 없는 건물에 무단 거주했다 죽었으리라는.

그러나 이야기의 비극적 면모는 지금부터다.

고인은 파자마만 걸친 해골이었다. 그의 옆에는 1984년 2월 20일자 신문이 펼쳐져 있었고, 그 옆 탁자에는 같은 날짜의 달력이 놓여 있었다.

그는 이십 년 동안 그곳에 누워 있었던 것이다.

이십 년 동안 아무도 그를 찾지 않았다.

그는 그 건물을 지은 건축회사의 직원으로 밝혀졌다. 1980년대 초에 이혼한 직후부터 그는 그 집에 살았다. 그리고 신문을 읽다 갑자기 세상을 떠난 그날, 남자의 나이는 겨우 오십대 초반이었다.

전처는 한 번도 그에게 연락하지 않았다. 그가 일했던 건축회사를 찾아간 기자는 당시 회사가 집을 한 채도 팔지 못해 건물 완공 직후 부도를 냈다는 사실을 알아냈다. 때문에 그가 출근하지 않은 것을 아무도 이상하게 여기지 않은 것이다. 기자가 찾아낸 그의 친구들은 그가 그들에게서 돈을 빌려간 후 갚지 못해 잠적을 한 게 아닌가 추측했다.

기사는 전처가 그의 유해를 인수했다는 내용으로 끝났다. 나는 그 마지막 문장을 곱씹어보았다. 전처는 아직도 살아 있다는 것이다. 그런데도 그녀는 이십 년 동안이나 전남편의 안부조차 묻지 않았다. 그녀는 이십 년 동안 살아오면서 무슨 생각을 했을까? 남편의 애정이 식어 자기를 버린 거라고? 남편에게 여자가 생겨 자취를 감췄다고? 법적으로 두 사람의 관계가 끝난 이상 연락을 주고받을 필요가 없다고? 인생이 그런 거라고? 오랜 세월을 나눈 남편의 운명을 알고 난 후 그녀는 과연 어떤 마음이었을까?

다시 파자마를 입고 죽은 남자를 떠올렸다. 찾는 사람도 없이, 이십 년 동안이나 종적이 없었던, 그 완벽하고 철저한 고립에 대해. 배고픔이나 갈증, 실업이나 실연의 상처나 절망보다 더 끔찍한 것은, 어느 누구도, 세상의 단 한 사람도 자신에게 관심을 기울이지 않는다는 느낌이리라.

그를 위해 조용히 기도를 올리자. 그리고 친구의 소중함을 돌이켜 볼 기회를 준 그에게 감사하자.

고독한 불씨

후안은 일요일마다 꼬박꼬박 예배에 참석했다. 그런데 어느 날부터인가 목사가 앵무새처럼 같은 말을 반복한다는 느낌이 들기 시작했고, 차차 교회에 발길을 끊게 되었다.

두 달이 지난 어느 추운 겨울밤, 목사가 그를 찾아왔다.

'보나마나 다시 교회에 나오라고 온 거겠지.' 후안은 생각했다. 교회에 발길이 뜸해지게 된 솔직한 이유는 차마 밝힐 수 없었다. 똑같이 반복되는 설교 때문이라고 어떻게 말할 수 있겠는가. 후안은 속으로 핑곗거리를 찾으며 벽난로 앞에 의자를 두 개 가져다놓고 날씨 얘기를 꺼냈다.

목사는 아무 말도 하지 않았다. 대화를 시도하려던 후안 역시 입을 다물었다. 두 사람은 거의 반시간 동안 말없이 불만 바라보았다.

그때였다, 목사가 몸을 일으켜 아직 타지 않은 장작개비로 불씨 한 조각을 꺼낸 것은.

열기를 잃은 불씨는 스르르 꺼지기 시작했다. 후안은 불씨를 급히 다시 벽난로 속으로 집어넣었다.

"안녕히 주무세요."

목사가 자리에서 일어서며 말했다.

"안녕히 가세요, 감사합니다."

후안이 대답했다.

"제아무리 맹렬히 타오르던 석탄이라도 불에서 꺼내면 결국 꺼지고 맙니다. 제아무리 영리한 사람이라도 형제들에게서 멀어지는 순간, 온기와 불꽃을 잃게 되지요. 다음 주일에 교회에서 뵙겠습니다."

마누엘은 없어서는 안 될 인물

마누엘은 바빠야 하는 사람이다. 그러지 않으면 그는 불안하다. 삶의 의미가 없는 것 같고, 시간을 낭비하는 것 같고, 사회가 그를 필요로 하지 않는 것 같고, 누구에게도 사랑받지 못하는 쓸모없는 존재가 된 기분이다.

그래서 그는 눈 뜨자마자 해야 할 일이 산더미다. 우선 TV 뉴스를 봐야 하고(어젯밤 무슨 일이 일어났는지), 신문도 읽어야 하며(어제 무슨 일이 일어났는지), 아이들이 학교에 지각하지 않도록 아내에게 주의를 준 다음, 자동차나 택시 혹은 버스나 전철을 탄다. 눈은 허공을 응시하고, 머릿속은 시종일관 바삐 돌아가고, 시계를 보거나 가능하면 휴대전화로 몇 통화를 하면서 자신이 얼마나 중요하고 쓸모 있는 인물인가를 만인에게 각인시켜야 한다.

회사에 도착하기 무섭게 마누엘은 그를 기다리는 서류 더미에 팔을 걷어붙이고 달려든다. 그가 직원이라면 그는 사장에게 제시간에 도착했음을 확인시키고자 안간힘을 쓸 테고, 사장이라면 직원들이 즉시 업무에 착수할 수 있도록 재촉할 것이다. 중요 업무가 없으면 마누엘은 새로운 일거리를 고안하고, 창조하고, 기획안을 제안하고, 행동지침을 만든다.

시간이 되어 마누엘은 점심을 먹으러 간다. 그러나 그는 절대 혼자 식사하지 않는다. 사장인 마누엘은 친구들과 어울려 새로운 전략을 토론한다. 경쟁자를 헐뜯고, 비책을 감추고, 과다한 업무로 인한 부담을 약간은 우쭐거리면서 토로하기도 한다. 직원인 마누엘은 동료들과 둘러앉아 상사가 시키는 과중한 업무에 대한 불만을 나누고, 자기가 없으면 회사가 안 돌아간다는 점을 역시나 약간은 우쭐거리면서 역설한다.

점심시간이 끝나면 마누엘은 오후를 꼬박 업무에 바친다(고용인이건 피고용인이건 이 시간에 하는 일은 똑같다). 때때로 시계를 보기도 한다. 곧 퇴근할 시간이지만, 해결하지 못한 업무와 결재서류가 여전히 남아 있다. 그는 정직한 사람이기에 월급값하기를 원하고, 다른 사람들의 기대, 특히 그를 키우느라 애쓴 부모의 꿈을 저버리고 싶지 않다.

드디어 마누엘은 퇴근을 한다. 몸을 씻고 편한 옷으로 갈아입은 그는 가족들과 둘러앉아 저녁을 먹는다. 그리고 아이들에게 숙제는 했는지, 아내에게 하루 종일 무슨 일이 있었는지 물어본다. 이따금 회사 이야기도 하지만, 본보기로 삼을 만한 일에 한해서다. 그는 회사일은 회사에서 끝내자는 원칙을 가지고 있다. 아버지의 훈계나 숙제에 시간을 빼앗기고 싶지 않은 아이들은 식탁에서 물러나자마자 컴퓨터 앞으로 달려간다. 마누엘도 어릴 적부터 보아온 텔레비전이라는 기계 앞에 앉아 뉴스를 본다(오늘 오후에 무슨 일이 일어났을 수도 있으니까).

잠자리에 들 때는 항상 침대 옆 탁자 위에 올려둔 기술 관련 서적을 읽는다. 사장이건 직원이건, 그는 격심한 경쟁사회에 살고 있음을, 긴장을 늦추는 순간 누구든 해고 위험에 빠지거나 '실업'이라는 최악의 상황에 직면할 수 있음을 결코 잊지 않는다.

잠자리에 들기 전 마누엘은 아내와 짧은 대화를 나눈다. 그는 가정을 돌보고 가족을 위해서라면 무엇이든 감수할 준비가 되어 있는, 다감하고 건실하고 자상한 남자니까. 그는 금세 잠이 든다. 내일 역시 고된 하루가 기다리고 있으며, 재충전이 필요하기 때문이다.

그날 밤, 꿈속에서 천사가 그에게 묻는다.

"자넨 무엇 때문에 그렇게 분주히 사는가?"

마누엘이 대답한다.

"책임감 때문이지요."

천사는 다시 묻는다.

"하루에 십오 분만이라도 일을 멈추고 아무것도 하지 않은 채 세상과 자네 스스로를 돌아볼 수는 없나?"

마누엘은 그러고 싶어도 시간이 없다고 대답한다.

"그럴 리가 있나." 천사가 응수한다. "누구에게든 시간은 있네. 용기가 없을 뿐이지. 노동은 축복이라네. 그것을 통해 우리의 행동을 돌아볼 수 있다면 말이야. 그러나 일에만 매달려 삶의 의미를 도외시한다면 그것은 저주야."

마누엘은 식은땀을 흘리며 잠에서 깨어난다. 아직 한밤중이다. 용기. 가족을 위해 자신을 희생할 각오가 되어 있는 사람이 하루에 십오 분 멈출 용기가 왜 없는 것일까?

다시 잠이나 자야겠다. 꿈인데 뭐. 쓸데없는 질문이야. 내일 역시 눈코 뜰 새 없이 바쁜 하루가 기다리고 있다.

자유를 얻은 마누엘

마누엘은 삼십 년 동안 쉬지 않고 일해왔다. 아이들을 키우고, 타의 모범이 되고, 모든 시간을 회사일에 바친다. '지금 내가 하는 일이 무슨 의미가 있을까?' 이런 질문 따위는 던지지 않는다. 그는 바쁠수록 중요한 사람이라고 굳게 믿고 있다.

자녀들은 장성해 그와 아내를 떠나고, 마누엘은 직장에서 승진한다. 그리고 어느 날 그는 오랜 세월 회사에 충성해준 데 대한 감사의 표시로 시계나 펜을 선물받는다. 동료들은 서운해하며 눈물을 흘리기도 한다. 그리고 마침내 그가 고대하던 순간이 찾아온다. 이제 마누엘은 하고 싶은 대로 할 수 있는 자유의 몸이다!

퇴직 후 처음 몇 달간 마누엘은 가끔 전 직장에 들러 동료들과 대화를 주고받기도 하고, 그동안 꿈꾸던 일을 하는 재미에 빠져 지낸다. 늦잠을 자고, 해변이나 시내를 거닐고, 땀 흘려 번 돈으로 시골에 집을 장만한다. 시골집의 정원에서 그는 정원일의 묘미를 발견하고, 꽃나무들의 경이에 대해 천천히 배우게 된다. 마누엘에게는 아무리 써도 줄지 않는 시간이 있다. 저축해둔 돈으로 여행을 떠나기도 한다. 미술관에 가서 화가와 조각가들이 수세기에 걸쳐 발전시켜온 예술사조들을 두 시간 만에 배우고 나면 왠지 유식해진 느낌이 든다. 그는 수백, 수천 장의 사진을 찍어 옛 동료들에게 일일이 보낸다. 그가 얼마나 행복한지 그들도 알아야 하니까.

몇 달이 더 흐르고 마누엘은 깨닫는다. 정원에는 사람에게처럼 정확한 규칙을 적용할 수 없다는 것을. 무언가를 심어 그것이 자랄 때까지는 시간이 필요하고, 자나 깨나 장미넝쿨에 봉오리가 맺혔나 들여다본다고 해서 장미가 일찍 피는 것도 아니라는 것을. 돌이켜보니 그가 여행길에서 본 것은 관광버스에서 내다본 풍경과 6×9 사이즈의 기념사진에 담긴 유적지가 전부다. 이국의 멋진 정취를 음미하기보다 그것을 동료들에게 전하느라 더 바빴던 그는 여행을 즐길 수 없었다.

마누엘은 텔레비전 뉴스를 시청하고 신문을 읽는 데 더 많은 시간을 할애한다(시간이 더 많으니까). 스스로 정보가 풍부한 사람이라고 생각하게 되고, 전에는 파고들 여유가 없던 문제들을 놓고도 대화를 나눌 만한 사람이 되었다고 느낀다.

그러나 막상 대화할 만한 사람을 찾아 고개를 돌려보면 아무도 없다. 그의 주위에는 한가할 틈이 없는 사람들뿐이다. 그들은 마누엘의 자유를 부러워하면서도 동시에 자기들이 사회에 쓸모 있는 사람이며, 무언가 중요한 일에 매여 있다는 데 자부심을 느끼는 것 같다.

마누엘은 자녀들에게 위로를 구한다. 그들은 좋은 아버지였고 정직과 근면의 모범인 그에게 늘 다정하게 대한다. 그러나 일요일 점심에 식사하러 오는 것을 의무로 여기는 자녀들에게도 다른 할 일이 많다.

마누엘은 매인 곳 없는 사람이다. 돈은 넉넉하고, 정보는 충분히 취할 수 있으며, 돌이켜보아도 흠잡을 데 없는 삶을 살아왔다. 그런데 지금 이 상황은 무얼까? 고생 끝에 쟁취한 자유는 어디에 쓰지? 모두가 그에게 공손히 인사하고 그를 칭찬하지만, 정작 그를 위해 자기 시간을 내줄 사람은 아무도 없다. 마누엘은 점점 서글퍼진다. 그렇게 오랜 세월을 사회와 가족을 위해 헌신했는데도 자신이 불필요한 존재처럼 느껴진다.

어느 날 밤, 꿈에 천사가 나타난다.

"자네는 인생에서 무엇을 일구었나? 꿈꾸던 인생을 살았나?"

새로운 긴 하루가 시작된다. 신문, TV 뉴스, 정원일, 점심, 짧은 취침…… 원하면 뭐든 할 수 있다. 그러나 그는 자신에게 아무런 의욕이 없음을 돌연 깨닫는다. 마누엘은 자유롭지만 우울증에 걸리기 직전이다. 삶의 의미를 곱씹기에는 늘 너무 바쁜 나날들을 보냈고, 그저 세월이 다리 아래로 흘러가도록 내버려두었다. 한 시인의 말이 떠오른다. "그의 삶은 흘러갔네/그는 삶을 살지 않았다네."

그러나 이 모든 것을 받아들이고 변화를 추구하기에는 너무 늦었다. 생각을 딴 데로 돌리는 게 최선이다. 그렇게 힘겹게 얻은 자유 속에서 그는 가면을 쓴 채 떠돈다.

천국으로 간
마누엘

한동안 마누엘은 퇴직 후의 자유를 만끽한다. 출근시간에 맞춰 일어날 필요도 없고, 자유자재로 일과를 조정할 수 있다. 그런데도 그는 곧 우울증에 빠진다. 그는 퇴물로 전락하고, 자신이 동참해 일궈낸 공동체로부터 쫓겨났으며, 장성한 자녀들에게서 버림받은 기분이다. 그는 삶의 의미를 이해할 수가 없다. 지금까지 '나는 여기서 무얼 하고 있나?' 같은 진부한 질문 때문에 고심해본 적이 없으니까.

그러던 어느 날, 우리의 자상하고 정직하고 근면한 마누엘은 세상을 떠난다. 다른 모든 마누엘, 파울로, 마리아, 모니카들처럼. 세상을 떠난 그에게 무슨 일이 일어날까? 헨리 드루먼드는 그의 빼어난 책 『세상에서 가장 위대한 일』에서 이렇게 말했다.

오래전부터 인간이 되풀이해온 질문이 있다. 우리 삶의 정수는 무엇일까? 당신 앞에, 오직 단 한 번만 살 수 있는 삶이 있다. 그런데 그 삶에서, 우리가 추구할 가장 고귀한 목표는 무엇이고, 갈망할 만한 가치가 있는 정수는 무엇일까?

종교에서는 믿음을 최상의 가치로 여긴다. 이 위대한 단어는 수세기 동안 종교의 핵심이었고, 우리는 별 의심 없이 믿음이 세상에서 가장 중요한 것이라고 받아들였다. 하지만 과연 그럴까? 지금까지 그렇게 말해왔다면 그런 생각에서 벗어나보자. 고린도전서 13장 13절에서 사도 바울은 우리를 기독교의 근원으로 데려간다. 그리고 그 근원에는 다음과 같은 말이 있다. '그중에 제일은 사랑이라.'

바울은 바로 그 전에 믿음에 대해서도 간과하지 않고 언급했다. '산을 옮길 만한 믿음이 있을지라도, 사랑이 없으면 내가 아무것도 아니요.' 그러나 그는 믿음과 사랑을 비교하며 한 치의 머뭇거림도 없이 결론을 맺는다. '그중에 제일은 사랑이라.'

그렇다면 우리의 마누엘은 죽는 순간 구원을 얻었다. 비록 삶의 의미를 묻지는 않았지만 그는 사랑을 나눌 줄 아는 사람이었다. 가족을 부양했고, 우직하게 자신의 일을 했으니. 그러나 그의 삶이 해피엔딩이었다 해도, 지상에서 그의 말년은 한마디로 정의 내리기가 쉽지 않다.

다보스에서 열린 경제포럼에서 시몬 페레스는 이렇게 말했다.

"낙관주의자도 염세주의자도 결국은 죽습니다. 하지만 어떤 삶을 살았는가는 천양지차겠죠."

내 글을
좋아하십니까?

오스트레일리아 멜버른에서 열리는 작가 축제에서 중요한 발표를 앞둔 어느 날이었다. 아침 열시, 축제 장소는 이미 청중으로 입추의 여지가 없었다. 오스트레일리아의 작가 존 펠턴이 나를 인터뷰하기로 되어 있었다.

나는 평소처럼 약간 긴장한 채 무대에 올랐다. 펠턴이 나를 소개하고 질문을 하기 시작했다. 그런데 그는 매번 내 말을 중간에서 자르고 다른 질문을 던졌다. 내가 뭐라고 대답할라치면 "대답이 좀 모호하군요"라며 말을 가로막았다. 오 분쯤 지나자 청중이 웅성거리기 시작했다. 분위기가 심상찮음을 알아차린 것이다. 나는 공자를 떠올리며 마지막 수를 던졌다.

"내 글을 좋아하십니까?"

"그건 중요한 문제가 아닌 것 같습니다." 펠턴이 대답했다. "나는 여기 당신을 인터뷰하러 나온 겁니다. 질문을 받기 위해서가 아니라요."

"내 생각엔 중요한 문제인 것 같습니다. 내가 얘기를 마무리할 틈을 주지 않는군요. 공자가 말하기를, '군자는 사물을 볼 때 명백해야 한다'고 했습니다. 그의 말을 거울삼아 우리도 문제를 명백히 했으면 합니다. 내 글을 좋아하십니까?"

"아뇨. 실은 선생님 책을 두 권 읽었는데, 두 권 다 마음에 들지 않았습니다."

"좋아요. 그럼 계속합시다."

전선은 정비되었다. 청중은 안도했고, 치고받던 인터뷰는 뜨거운 논쟁으로 이어졌다. 그리고 우리 모두, 펠턴까지도 그 결과에 만족했다.

쇼핑몰의 피아니스트

바이올리니스트인 친구 우르술라와 함께 쇼핑몰을 어슬렁거리던 때였다. 헝가리 태생인 우르술라는 국제적으로 명성이 높은 오케스트라 두 곳에서 수석 바이올리니스트를 맡고 있었다. 갑자기 그녀가 내 팔을 잡아당겼다.

"들어봐요!"

나는 귀를 기울였다. 어른들 목소리, 아이 울음소리, 전자제품 매장의 TV 소음, 타일 바닥에 부딪히는 구두 발짝 소리, 그리고 여느 쇼핑몰에서 흘러나올 법한 평범한 음악소리가 전부였다.

"대단하지 않아요?"

나는 대단하기는커녕 별 특별할 것도 없는 소리밖에 안 들린다고 대답했다.

"피아노 말이에요!" 그녀가 실망한 표정으로 나를 보았다. "저 피아니스트 정말 대단하다고요!"

"음반을 틀어놓은 게 아닌가요?"

"바보 같은 소리 말아요."

잘 들어보니 직접 연주하는 소리가 확실했다. 쇼팽의 소나타였다. 집중해서 듣다보니 피아노 소리가 주변의 소음을 차단하는 듯 느껴졌다. 우리는 사람들과, 바겐세일을 하는 상점들과, 광고에 의하면 아직 나와 당신에게만 없는 물건들이 잔뜩 쌓인 통로를 지나 식당가에 도착했다. 사람들이 음식을 먹고 대화를 나누고 토론을 하고 신문을 보고 있었다. 그곳에선 쇼핑몰에서 마련한 고객 특별행사가 열리기도 하는데, 그날의 주인공은 피아노와 피아니스트였다.

피아니스트는 쇼팽의 소나타를 두 곡 더 연주한 후, 슈베르트와 모차르트로 넘어갔다. 서른 살 남짓으로 보이는 연주자는 구 소련령인 그루지야의 유명한 음악가라고 했다. 아마도 일자리를 찾다가 굳게 닫힌 취업문 앞에서 좌절하고 체념한 후 이곳을 택한 것이리라.

그런데 그는 정말 이곳에 있는 걸까? 그의 눈은 음악이 탄생한 마법의 세계를 응시하고 있었다. 그의 손은 그의 내면에 깃든 사랑과 그의 영혼, 열정, 그가 들려줄 수 있는 최상의 연주, 수년간 전력을 다해온 고된 연습과 공부의 과정을 우리와 나누고 있었다.

그러나 단 한 가지, 그가 모르는 것이 있었다. 그것은 아무도, 그 누구도 그의 연주를 들으러 쇼핑몰에 온 게 아니라는 사실이었다. 사람들은 소비하고, 먹고, 시간을 때우고, 윈도쇼핑을 하고, 친구를 만나기 위해 이곳에 왔다. 몇몇 사람이 우리 곁에서 큰 소리로 떠들다가 총총히 사라졌다. 그러나 피아니스트는 아무것도 알아차리지 못한 채, 여전히 모차르트의 천사에게 말을 걸고 있었다. 그는 자신에게 두 명의 청중이 생긴 것도, 천부적인 재능을 가진 바이올리니스트가 눈물을 흘리며 그의 연주를 듣고 있는 것도 의식하지 못하고 있었다.

언젠가 우연히 들어갔던 성당에서 만난, 신을 위해 성가를 부르던 처녀가 떠올랐다. 그곳은 성당이었으니 그녀의 노래에는 나름의 의미가 있었다. 하지만 여기서는 아무도 피아니스트의 연주에 귀 기울이지 않았다. 아마 신조차 그랬을지도 모른다.

아니다, 그렇지 않다. 신은 듣고 있었다. 신은 피아니스트의 영혼과 손에 현존하고 있었다. 주위의 반응이나 보수에 상관없이, 피아니스트가 혼신을 다해 연주하고 있는 것이 그 증거였다. 마치 그곳이 밀라노의 스칼라 극장이나 파리의 오페라하우스라도 되는 듯이, 그것이 자신의 기쁨이고 운명이며, 존재이유인 듯이.

순간 내 마음속에서 그에 대한 깊은 경외와 존경심이 우러나왔다. 그는 내게 아주 중요한 가르침을 일깨워주었다. 우리 각자에게 실현해야 할 신화가 있다는 것, 바로 그것이었다. 타인이 우리를 믿어주든 말든, 비판하거나 무시하거나 봐주거나 상관없이, 우리는 그것을 수행한다. 그것이 이 땅에 태어난 우리의 소명이고, 모든 기쁨의 원천이므로.

피아니스트는 모차르트의 다른 곡으로 연주를 마무리했고, 그제야 우리의 존재를 알아차렸다. 그는 우리에게 공손히 고개를 숙여 인사했고 우리도 그렇게 했다. 그리고 그는 다시 자신만의 낙원으로 돌아갔다. 그를 그곳에 남겨두는 게 최선이리라. 어떤 세속적인 것도 닿지 않는, 심지어 우리의 수줍은 박수 소리마저 들리지 않는 그곳에. 그는 우리 모두에게 귀감이 되었다. 왜 내 일엔 아무도 관심을 가져주지 않을까 하는 의문이 들 때, 그를 떠올려보자. 그는 연주를 통해 신과 대화했고, 그 순간 다른 그 무엇도 중요하지 않았다.

어떤 프러포즈

미국서적상협회가 주최하는 도서전에 가기 위해 뉴욕 발 시카고행 비행기를 탔을 때의 일이었다. 갑자기 한 젊은이가 기내 통로에 서더니 말했다.

"비행기가 착륙하면 장미 한 송이를 들어주실 분 계십니까? 열두 분요."

몇몇이 손을 들었다. 나 역시 손을 들었지만 뽑히진 못했다.

그럼에도 나는 일행을 따라가보기로 했다. 비행기에서 내린 후, 청년은 오헤어 공항 홀에 서 있는 한 아가씨를 가리켰다. 승객들이 차례로 그녀에게 다가가 장미를 건네주었다. 마지막으로 청년은 사람들 앞에서 청혼을 했고, 아가씨는 청년의 청혼을 받아들였다.

한 스튜어드가 말했다.

"제가 공항에서 수년 동안 일하면서 본 것 중 가장 로맨틱한 장면입니다."

규칙보다
더 중요한 것

2003년 가을의 일이었다. 어느 날 저녁 아내와 스톡홀름 시내로 산책을 나갔다가 스키폴을 짚고 다니는 여자를 보았다. 처음엔 사고로 다친 게 아닌가 했다. 하지만 여자는 (물론 아스팔트 위에 있기는 했지만) 스키를 타듯 빠르고 일정한 리듬으로 걷고 있었다. 결론은 명백했다. "좀 모자란 여자군. 안 그러면 저렇게 시내 한복판에서 스키 타는 시늉을 하고 있겠어?"

호텔로 돌아와 나는 출판사 대표에게 그 이야기를 했다. 그런데 모자란 쪽은 그녀가 아니라 나였다. 그의 말에 의하면 그 여자는 '노르딕 워킹'이라는, 다리를 비롯해 팔, 어깨와 등 근육까지 움직이는 전신운동을 하고 있었던 것이다.

내가 활쏘기와 더불어 가장 즐기는 여가활동은 산책이다. 나는 생각을 정리하고, 주변의 아름다운 경치를 음미하고, 아내와 담소하기 위해 산책을 한다. 대표가 들려준 이야기에 잠시 귀가 솔깃했지만 곧 잊어버렸다.

어느 날 활쏘기에 필요한 물건을 사러 스포츠용품점에 들렀다가 나는 등산용으로 출시된 가벼운 알루미늄 스틱을 보았다. 카메라 삼각대처럼 접고 펴기 편하게 되어 있는 제품이었다. 머릿속에 '노르딕 워킹'이라는 운동이 떠올랐다. 안 될 것도 없잖은가. 나는 아내 것 하나, 내 것 하나 해서 두 쌍의 스틱을 구입했다. 우리는 스틱 길이를 몸에 편하게 맞추고 화창한 어느 날 산으로 나섰다.

놀라운 경험이었다. 우리는 산을 오르내리며 온몸 구석구석이 움직이는 걸 느꼈다. 균형감각이 살아나는 반면, 걷는 데서 오는 피로는 줄어들었다. 우리는 한 시간 동안 평소의 두 배 거리를 걸을 수 있었다. 나는 전에 오르려다 지천에 깔린 돌 때문에 포기하고 말았던 마른 계곡이 떠올랐다. 스틱을 이용하면 수월할 것 같았다. 그리고 내 추측은 옳았다.

아내는 인터넷을 통해 우리가 평소의 산행에서보다 46퍼센트 많은 칼로리를 소모했다는 사실을 알아냈다. 아내는 흥분했고, 그날부터 노르딕 워킹은 우리 일상의 한 부분이 되었다.

어느 날 저녁, 나는 재미 삼아 인터넷에서 노르딕 워킹에 관해 검색을 했다가 깜짝 놀라지 않을 수 없었다. 동호회와 서클, 토론, 갖가지 모델의 장비 및 규칙에 관한 검색 결과가 수페이지에 이르렀다.

왜 하필 그때 내가 규칙에 관한 페이지를 열었는지는 모르겠다. 하여튼 그것을 읽으며 나는 서서히 절망에 빠져들었다. 내가 하고 있었던 노르딕 워킹은 순 엉터리였던 것이다! 스틱을 더 길게 조정해야 했다. 걸을 땐 특정한 리듬을 지키며, 스틱을 특별한 각도에 맞춰

쥐어야 했다. 스틱을 움직이는 어깨의 움직임은 복잡하기 그지없고, 팔꿈치를 움직이는 법도 달랐다. 간단히 말해 노르딕 워킹에는 엄격한 규칙이 존재했다.

나는 규칙에 관한 페이지를 모조리 출력했다. 다음날 전문가들의 지시대로 해볼 생각이었다. 그러나 그날 산행은 지루했다. 머릿속은 온통 규칙에 대한 생각으로 가득 차 주변 경치는 온데간데없고, 아내와 대화도 거의 나누지 못했다. 일주일이 지난 후 나는 스스로에게 되물었다. 내가 왜 이걸 배우려는 거지?

나는 건강 체조를 하려던 게 아니었다. 노르딕 워킹을 처음 하는 사람들은 균형감각 향상과 전신 근육 활용에 매여 걷는 즐거움을 누리지 못할 게 분명하다. 아내와 나는 우리에게 적합한 스틱의 길이가 어느 정도인지를 직관적으로 알았고, 스틱을 몸 가까이 당길수록 움직임이 더 빠르고 수월해진다는 것도 알았다.

하지만 이제 나는 규칙 때문에 정작 좋아하는 것들에 집중할 수가 없었다. 칼로리를 소모하고, 근육을 움직이고, 척추의 특정 부위를 사용하는 데만 정신이 팔려 있었던 것이다.

나는 배운 것을 모두 잊기로 했다. 요즘 우리는 스틱과 더불어 세계 곳곳을 누비며 우리 몸이 반응하고, 움직이고, 균형을 잡는 걸 느낀다. 산행 길의 명상이 아니라 건강 체조를 할 요량이면 헬스클럽으로 가면 된다. 요즘 나는 내 방식대로 노르딕 워킹을 하며 긴장을 풀고 행복을 느낀다. 칼로리를 46퍼센트 더 소모하지는 못하더라도.

왜 우리 인간들은 매사 규칙을 만들지 못해 안달인지 모르겠다.

버터를 바르는 방향

사람들은 '머피의 법칙'이라는 것을 너무도 쉽사리 믿는다. 그에 관해 장 클로드 카리에르가 썼던 재미있는 이야기를 소개하고 싶다.

한 남자가 조용히 아침식사를 하고 있었다. 그러다 막 버터를 바른 빵 한 조각이 바닥에 떨어졌다.

내려다보니 놀랍게도 빵은 버터 바른 쪽을 위로 향한 채 떨어져 있었다. 사내는 기적이라고 생각했다. 흥분한 그는 친구들에게 그 사실을 들려주었고 친구들은 모두 깜짝 놀랐다. 이런 경우, 대개 버터를 바른 쪽이 바닥으로 떨어져 바닥을 더럽히게 마련이니까.

"자네 보통 사람이 아니군." 한 친구가 말했다. "그건 분명 신의 계시야."

소문은 곧 온 마을로 퍼져 일대 토론이 벌어졌다. 일반적인 통념으로는 버터를 바른 쪽이 바닥에 닿는 게 보통인데, 어떻게 그런 일이 일어난 것일까? 마땅한 답을 찾지 못한 사람들은 인근에 사는 마을 어르신을 찾아가 그 이야기를 했다.

그는 밤새 기도하고 생각을 거듭한 결과 신으로부터 답을 얻어냈다. 다음날 사람들은 기대에 부풀어 어르신을 찾아왔다.

"간단하다."

그가 말했다.

"빵은 떨어져야 할 방향으로 떨어진 것이다. 버터를 반대쪽에 바른 것이지."

다시는
펼쳐지지 않을 책

나는 장서가가 아니다. 몇 해 전, 나는 삶의 질은 최대한 높이고, 소유물은 최소한으로 줄이겠다고 결심하고 몇 가지 결정을 내렸다. 그렇다고 수도승처럼 살겠다는 것은 아니었다. 오히려 정반대였다. 소유물을 대거 처분하고 나면 날아갈 듯 홀가분하다. 내 친구 몇몇은 옷이 너무 많아 뭘 입을까 고민하다 아까운 시간을 낭비한다고 늘 푸념이다. 나는 기본 색조를 검은색으로 제한해놓았기 때문에 그럴 염려가 없다.

다시 책 이야기로 돌아가자. 나는 서가의 책을 사백 권으로 제한하기로 결심했다. 어떤 책은 감정적 가치 때문에, 또 어떤 책은 틈만 나면 되풀이해 읽는 것이라 서가에 남았다. 내가 이런 결정을 내린 데는 여러 가지 이유가 있다. 그중 하나는 한평생 정성을 다해 꾸민 서가라도, 주인이 죽고 나면 결국 무게 단위로 팔아치우는 모습이 안타까워서다. 그뿐만이 아니다. 이런 모든 책을 집에 모셔놓아야 하는 이유는 무얼까? 친구들에게 교양을 과시하려고? 벽이 허전해서 장식용으로? 내가 산 책들은 내 집에서보다 공공도서관에서 훨씬 널리 읽힐 것이다.

과거에는 자료 때문에라도 책을 가까이 두어야 했다. 하지만 요즘에는 컴퓨터를 켜고, 검색어 한두 개만 입력하면 필요한 것들을 찾을 수 있다. 세계에서 가장 큰 도서관, 인터넷 덕분이다.

당연히 지금도 나는 책을 산다. 책을 대신할 전자매체는 없다. 그러나 그것을 다 읽고 나면 여행을 떠나보낸다. 누군가에게 선물하거나 공공도서관에 기증하는 것이다. 숲을 지키기 위해, 혹은 인심을 쓰기 위해서가 아니다. 책에는 그것 나름의 길이 있고, 꼼짝없이 책꽂이에 묶여 있게 해서는 안 된다고 믿기 때문이다.

인세로 먹고사는 작가로서, 나 스스로를 궁지에 모는 말일 수도 있다. 책이 많이 팔리면 팔릴수록 내겐 많은 돈이 생기니까. 하지만 독자들 입장에서는 그것이 불공평한 일일 수 있다. 특히나 정부가 도서구매를 지원할 때, 독서의 즐거움과 텍스트의 질이라는 두 가지 가장 중요한 선택 기준이 적용되지 않는 나라의 독자에게는.

그러니 우리의 책을 여행시키자. 다른 이들의 손에 닿고, 다른 이들의 눈이 즐길 수 있도록. '다시는 펼쳐지지 않을 책들'이 나오는 호르헤 루이스 보르헤스의 시 한 편이 어렴풋이 떠오른다.

자, 그런데 내가 지금 앉아 있는 곳은 어딘가. 나는 지금 무더위가 한창 기승을 부리고 있는 프랑스 피레네 지역 소도시의 한 카페에 앉아 에어컨 바람을 쐬고 있다. 그리고 내가 틈만 나면 되풀이 읽는 작가인 보르헤스의 전집은 내가 글을 쓰고 있는 이곳에서 몇 킬로미터 떨어진 우리집에 있다. 하지만 내 이론을 당장 테스트해보지 못할 이유는 없다.

나는 길을 건너 약 오 분 거리에 있는, 컴퓨터가 구비되어 있는 다른 카페(언뜻 보기에는 멋지지만, 모순된 표현인 '사이버 카페'라는 상호를 단)로 들어간다. 나는 주인에게 인사를 건네고 찬 생수를 주문한 뒤, 검색창에 작가의 이름과 함께 기억나는 대로 몇 가지 단어를 써넣는다. 이 분도 채 안 되어 보르헤스의 시는 내 앞에 나타난다.

이젠 기억에도 아득한 베를렌의 시구가,
더는 발길 닿지 않을 거리가,
내 얼굴을 마지막으로 비춰본 거울이,
다시는 열지 않을 문이 있다.
내 눈앞 저 서가에
다시는 펼쳐지지 않을 책들이 있다.

내가 책들을 떠나보낼 때 느끼는 감정과 정확히 일치하는 시다. 나는 그 책들을 다시 펼쳐보지 않을 것이다. 새롭고 흥미로운 책들은 부단히 쏟아져나오고, 나는 그런 책들을 계속 읽고 싶기 때문이다. 물론 서가를 갖는다는 것은 대단히 멋진 일이다. 어린아이들이 생애 처음으로 호기심을 가지고 펼쳐보게 되는 책들은 대개 그림과 글씨가 섞인 그림책 전집류라고 한다. 하지만 사인회 때, 손때로 반질반질해진 내 책을 들고 오는 독자들을 만나는 것 역시 멋진 일이다. 이 손에서 저 손으로 여남은 번도 넘게 돌아다닌 책. 그 책을 쓰는 동안 작가의 영혼이 여행을 했듯이, 책 역시 나름의 여행을 한 것이다.

1981년 겨울
프라하

1981년 겨울, 나는 아내와 함께 프라하의 거리를 걷고 있었다. 한 청년이 주위 건물을 스케치하고 있었다.

나는 여행 도중에 뭘 들고 다니는 걸 성가셔하는데다, 아직 우리에겐 긴 여정이 남아 있었지만 청년의 스케치 한 장을 사기로 했다.

돈을 건네는데, 청년은 장갑을 끼지 않은 맨손이었다. 기온이 영하 5도로 떨어진 추운 날씨였다.

"왜 장갑을 안 꼈나요?"

내가 물었다.

"그러면 연필을 제대로 쥘 수 없어요."

그리고 그는 자신이 프라하의 겨울을 얼마나 사랑하는지 이야기했다. 겨울의 프라하는 화폭에 담기에 최고라는 것이었다.

그림을 팔고 신이 난 그는 공짜로 내 아내를 그려주겠다고 했다.

청년이 그림을 다 그릴 때까지 기다리는 동안, 나는 경이로운 일이 일어나고 있음을 깨달았다. 우리는 거의 오 분여 동안 서로 통하지 않는 언어로 대화했던 것이다. 무언가를 공유하고 싶은 마음, 손짓 발짓과 웃음, 얼굴 표정으로 우리는 서로를 완벽하게 이해하고 있었다.

누군가와 무언가를 나누고 싶다는 단순한 소망은 우리를 말이 존재하지 않는 언어의 세계로 데려간다. 그곳에서는 모든 것이 명징하고, 오해를 할 염려는 조금도 없다.

모두인 동시에
하나인 그녀에게

2003년 프랑크푸르트 도서전이 막을 내리고 일주일이 지난 후의 일이다. 내 책을 펴내는 노르웨이 출판사 대표가 전화를 걸어왔다. 노벨평화상 수상자인 시린 에바디를 위해 조직위원회에서 기념 콘서트를 준비중인데, 내게 축사를 부탁한다는 것이었다.

거절해서는 안 될 영광스러운 제안이었다. 시린 에바디는 전설적인 인물이었다. 체구는 1미터 50센티미터도 채 안 되지만 인권을 부르짖는 그녀의 목소리는 전세계 방방곡곡에 울릴 정도로 드높았다. 하지만 동시에, 은근히 부담스러웠다. 행사는 백십여 개국에 중계될 것이고, 타인을 위해 평생을 바친 누군가에 대해 말하기 위해 내게 주어진 시간은 단 이 분이었다.

나는 유럽에 오면 기거하는 방앗간집 주위 숲을 거닐며 생각했다. 영감이 떠오르지 않는다고 전화를 걸고 싶은 생각이 몇 번이나 치밀었다. 그러나 우리 앞에 던져진 도전만큼 인생에서 흥미로운 것은 없지 않은가. 결국 나는 초대에 응했다.

12월 9일, 나는 오슬로로 떠났다. 그리고 화창하기 그지없던 다음 날, 노벨상 시상식 행사장에 앉아 있었다. 시청의 커다란 창문 밖으로 항구가 보였다. 이십일 년 전 이맘때 아내와 얼어붙은 바다를 바라보며 고깃배들이 갓 잡아온 참새우를 먹던 곳이었다. 항구에서 시청 홀까지 나를 이끌어온 이십일 년의 기나긴 삶의 여정이 머릿속을 스쳐갔다. 회상은 스웨덴 황실 가족의 등장을 알리는 트럼펫 소리에 끊겼다. 조직위원회의 상패 전달에 이어 시린 에바디의 열정적인 강연이 이어졌다. 소위 테러와의 전쟁이라는 명목으로 국제적 감시체제를 만들려는 나라들에 대한 비판이었다.

그날 저녁, 노벨상 수상 기념 콘서트가 시작되었고 여배우 캐서린 제타 존스가 내 축사가 낭송될 것이라고 알렸다. 동시에 나는 휴대전화기의 버튼을 눌렀다. (아내와 사전에 계획한 대로) 내가 살고 있는 낡은 방앗간집의 전화벨이 울렸다. 그리고 그 순간 방앗간집에 있던 아내는 내 글을 낭송하는 마이클 더글러스의 음성을 나와 함께 들었다.

그 글은 좀더 나은 세상을 만들기 위해 일하는 모든 사람들을 위해 쓴 글이다.

페르시아의 시인 루미는 말했습니다. 삶을 산다는 것은, 왕에게 특별한 사명을 부여받고 외국으로 파견되는 것과 같은 것이라고. 그 나라에 가서 수백 가지 일을 했다 하더라도 정작 그 사명을 완수하지 못하면 그는 아무것도 하지 않은 것이나 다름없습니다.

시린 에바디, 그녀는 자신의 사명이 무엇인지를 이해한 사람입니다.

자기 앞에 놓인 길을 내다보고, 그것이 험난한 여행이 될 것임을 깨달은 사람입니다.

그 어려움들을 얕보지 않고, 그 어려움을 소리 내어 말함으로써 문제를 명확히 한 사람입니다.

외로운 이들에게서 혼자라는 짐을 덜어주고, 정의에 굶주리고 목마른 자들의 허기를 달래주고, 억압하는 자들에게 억압만큼의 괴로움을 돌려주었습니다.

언제나 마음의 문을 열어두고, 손과 발을 움직였습니다.

페르시아의 또다른 시인 하페즈는 이렇게 말했습니다.

칠천 년의 기쁨도 칠 일간의 억압을 정당화할 수 없다고.

그녀는 바로 이 시구를 체화한 사람입니다.

오늘 저녁, 여기 있는 그녀가 우리 각자인 동시에 모두이기를. 그녀가 널리 타의 모범이 되기를. 그녀 앞에 어떤 어려움이 놓이더라도 그녀가 사명을 완수하기를. 그리하여 다음 세대는 '불의'라는 단어를 인간의 삶에서가 아니라 사전에서나 찾아볼 수 있기를.

그리고 그녀의 발걸음이 느려지기를. 그녀의 속도는 변화를 의미하며, 변화는, 진정한 변화는 언제나 오랜 시간이 걸리는 법이니.

우물 속의 여자

모로코에서 온 사람에게 들은 흥미로운 이야기가 있다. 사막에 사는 한 부족이 원죄를 바라보는 관점에 대한 이야기다.

이브가 에덴동산을 거닐고 있는데 뱀이 다가와 말했다.

"이 사과를 먹어봐."

신에게 가르침을 받은 대로 이브는 거절했다. 그러자 뱀이 우겼다.

"먹어보라니까. 그래야 네 남자의 눈에 예뻐 보일 수 있어."

이브가 대답했다.

"그럴 필요 없어. 그에겐 나 말고 다른 여자가 없으니까."

뱀이 비웃었다.

"정말 그럴까?"

뱀이 믿으려 하지 않는 이브를 데리고 우물이 있는 언덕 꼭대기로 갔다.

"이 우물 안에 그 여자가 있어. 아담이 여기 숨겨두었거든."

이브가 허리를 굽혀 우물 안을 들여다보았다. 그리고 우물물에 비친 아리따운 여자를 보았다. 그녀는 즉시 뱀이 권한 사과를 먹었다.

부족 전설에 의하면, 우물에 비친 자신을 인식하고 더는 자기 자신을 두려워하지 않는 이는 다시 낙원으로 돌아갈 수 있다고 한다.

죽음에
감사하라

〈메일 온 선데이〉 기자가 내가 묵고 있는 런던의 호텔로 찾아와 질문을 던졌다.

"당신이 만일 오늘 여기서 죽게 된다면 어떤 장례식을 원하십니까?"

1986년 산티아고를 다녀온 후부터, 사실 나는 죽음에 대한 생각을 늘 곁에 두고 지내왔다. 그전까지는 언젠가 모든 것이 끝날 수도 있다는 생각으로 두려움에 떨었다. 산티아고의 길을 순례하던 도중, 나는 산 채로 매장되는 느낌이 어떤 것인지 체험해볼 기회가 있었다. 그것은 강렬한 체험이었고, 그때의 체험을 통해 내 안의 두려움은 사라졌다. 그후 죽음은 삶의 여정에서 중요한 동반자가 되어 항상 나와 함께하며 말한다. "나는 언젠가 당신을 데려갈 테지만, 언제가 될지는 알 수 없네. 그러니 할 수 있을 때 맘껏 삶을 누리시게."

그러므로, 나는 매순간이 내게 주어진 마지막이라는 마음가짐으로, 오늘 할 일이나 경험할 수 있는 것—기쁨, 직업적 의무, 내가 상처입힌 누군가에게 사과하는 것 등—을 내일로 미루지 않는다.

나는 수차례 죽음의 손길이 나를 스쳐가는 것을 경험했다. 처음은 1974년 리우데자네이루의 아테루 두 플라멩구에서였다. 어떤 차가 내가 타고 있던 택시를 막아서더니, 무장한 군사 세력들이 뛰쳐나와 내 머리에 두건을 뒤집어씌웠다. 그들이 내게 아무 일도 없을 거라고 말하긴 했지만, 나는 내가 곧 군사정권의 희생양이 되어 '실종자' 명단에 오를 것이라고 생각했다.

그다음은 1989년 8월에 피레네 산맥을 따라 등반을 하다가 길을 잃었을 때였다. 나는 완전히 기진맥진해서 풀 한 포기, 눈 한 점 없는 산을 둘러보며 돌아가긴 틀렸다고 자포자기했다. 내 시신이 발견되려면 내년 여름까지는 기다려야 할 것이다. 그러다 다행히 우여곡절 끝에 가까스로 마을로 돌아가는 샛길을 발견할 수 있었다.

기자는 호락호락 물러날 기세가 아니었다.

"그러니까 장례식이 어땠으면 좋겠습니까?"

"글쎄요. 내 뜻대로라면, 장례식은 없습니다. 나는 화장을 원해요. 아내가 내 유골을 스페인의 엘 세브레이로라는 곳에 뿌려줄 겁니다. 나의 검을 발견한 곳이죠. 미발표 유고는 미발표인 채로 남을 겁니다(나는 작가의 유족들이 파렴치하게 돈 벌 목적으로 내놓는 '유고작'이라든가 '유고가 담긴 상자' 같은 말만 들어도 소스라치게 놀란다. 작가가 생전에 출간할 의사가 없었다면, 그 결정은 존중되어야 하는 것 아닌가). 내가 산티아고로 가는 길에 발견한 내 검은 바다에 던져질 겁니다. 왔던 곳으로 다시 돌아가는 거죠. 그리고 내가 죽은 후 칠

십 년간 발생할 인세 전액은 내가 세운 기관에서 받게 됩니다."

"그럼 묘비는요?"

기자가 물었다.

"화장할 테니 묘비명이 새겨진 묘석 따위는 없겠죠. 타고 남은 재가 바람을 타고 훨훨 날아갈 텐데요. 하지만 굳이 묘비에 새길 한 문장을 택하라면 이 말이었으면 좋겠군요.

'그는 살아서 죽었다.'

말장난이나 모순처럼 들릴 수도 있겠지요. 하지만 나는 일하고 먹고, 열심히 일상을 꾸려나가면서도 살아 있지 못한 사람들을 많이 봐왔어요. 그들은 하루하루 펼쳐지는 삶의 기적에 대해 되새겨보기 위해 잠시 멈추지도 않고, 다가오는 시간이 지상에서의 마지막 순간이 될 수도 있다는 걸 이해하지 못한 채 기계적으로 살고 있지요."

기자가 떠나고 나는 컴퓨터 앞에 앉아 이 글을 쓰기로 했다. 나는 알고 있다. 죽음이란 그 누구에게도 달가운 주제가 아니라는 걸. 하지만 나는 독자들로 하여금 삶의 중요한 문제들을 되새겨보게 할 의무가 있다. 우리는 언제가 될지 모르는 죽음의 순간에 조금씩 다가서고 있다. 그러니, 항상 그것을 의식하고 일 분 일 분에 감사해야 한다. 그뿐 아니라 죽음에게도 감사해야 한다. 죽음이 있기에 우리는 결단의 중요성을 되새길 수 있으니까. 할 것이냐 말 것이냐. 죽음은 우리로 하여금 '산 송장'으로 머물러 있지 않도록 북돋우고, 우리가 늘 꿈꿔왔던 일들을 감행케 한다. 우리가 원하든 말든, 죽음의 사자는 우리를 기다리고 있기 때문이다.

그물망을 깁는 여자

뉴욕에 머물렀을 때의 일이다. 어느 오후, 나는 굉장히 특이한 예술가를 만나 차를 마셨다. 그녀는 월스트리트의 한 은행에서 일하는 사람으로, 어느 날 꿈을 꾸었는데 전세계에서 열두 곳을 찾아 그곳의 자연에 어울리는 그림이나 조각상을 만들라는 계시를 받았다는 것이었다.

나를 만났을 때 그녀는 이미 네 개의 작품을 완성했다. 그녀는 자신의 작품이라며 사진을 한 장 보여줬는데, 캘리포니아의 한 동굴 안에 인디언 조각상이 놓여 있었다. 그녀는 꿈속의 계시를 기다리는 동안, 은행에서 일하며 여비와 작업비를 번다고 했다.

나는 그런 일을 하는 이유가 뭐냐고 물었다.

"세상의 균형을 유지하기 위해서죠." 그녀가 대답했다. "허튼소리로 들릴 수도 있겠지만, 모든 사람은 보이지 않는 끈으로 서로 연결되어 있어요. 이 그물망은 우리의 행동 여하에 따라 탄탄해질 수도, 느슨해질 수도 있지요. 가끔 아무것도 아닌 듯 보이는 행동으로 많은 것을 구하거나, 망가뜨릴 수도 있다는 말이에요. 설사 그게 엉터리라 해도, 나는 꿈속에서 들은 말을 거스르고 싶지 않아요. 인간관계란 거대하고 끊어지기 쉬운 거미줄 같은 거예요. 그리고 내 작업의 목적은 그 망의 일부를 복구하기 위해 깁는 것이죠."

선전의 위력

"왕에게 그리도 막강한 권력이 있는 건 악마와 손을 잡았기 때문이란다."

믿음이 독실한 여자가 거리에서 소년에게 말했다. 소년은 혼란스러웠다.

얼마 후 다른 도시로 여행을 간 소년은 한 남자가 이렇게 말하는 걸 들었다.

"이 넓은 땅이 모두 한 사람의 소유라니, 악마의 짓이 아니고서는 도저히 불가능한 일이지."

늦여름의 어느 오후, 한 아름다운 여인이 소년의 곁을 지나가자 한 목사가 분노로 가득 찬 목소리로 외쳤다.

"악마를 섬기는 계집 같으니라고!"

그때부터 소년은 악마를 찾기로 결심했고, 마침내 그를 만났다.

"당신에게 잘 보이면 권세를 주고, 부자로 만들어주고, 아름답게 만들어준다는 말을 들었어요."

소년이 악마에게 말했다.

"꼭 그런 건 아니야." 악마가 대답했다. "날 선전하는 사람들의 이야기만 들었구나."

어떻게 살아남을 것인가?

노르웨이의 한 회사가 내게 우유 대체상품 3리터를 우편으로 보내왔다. 이 새로운 상품에 투자할 의향이 있는지 내 의사를 묻기 위해서였다. 전문가인 데이비드 리츠에 따르면 '모든(그가 강조한 바, 나도 고딕체로 쓰겠다) 소젖에는 59가지 활성호르몬과 다량의 지방, 콜레스테롤, 다이옥신, 박테리아, 바이러스 등이 함유되어 있다'고 한다.

어렸을 적, 어머니가 뼈에 좋다고 그렇게 강조하던 칼슘이 우유에 들어 있는데! 그러나 그에 대한 전문가의 대답은 이미 준비되어 있었다. "칼슘이요? 그 장대한 기골을 이루는 뼈 조직을 위한 칼슘을 소들이 어디서 충당합니까? 바로 식물이지요!" 당연히 신상품은 식물 원료로 이루어져 있다. 그들은 세계 각지에 위치한 다양한 연구소들이 실행해온 수많은 연구 결과를 근거로 우유를 비난하고 있다.

그럼 단백질은? 데이비드 리츠의 기세는 꺾일 줄 모른다. "높은 단백질 함량 때문에 우유를 일컬어 '액체 고기'(나는 들어본 적 없는 말이지만, 어쨌든 그는 알고 하는 말이겠지)라고 하지요. 하지만 사실 단백질은 몸에서 칼슘을 걸러냅니다. 단백질 함량이 높은 식생활을 하는 나라에서 골다공증 환자 발생률이 가장 높은 것도 그 때문이지요."

그날 오후, 아내가 인터넷에서 본 기사를 내게 이메일로 보내주었다.

> 지금 사십대에서 육십대에 해당하는 세대는 안전벨트나 헤드서포트나 에어백 없이 자동차를 타고 다녔다. 아이들은 뒷좌석에 앉아 찧고 까불며 놀았다.
>
> 그 시절엔 다들 아기침대에 정체가 의심스러운 페인트들을 칠했다. 환하고 고운 색깔의 페인트들에는 십중팔구 납이나 위험 물질이 함유되어 있었다.

나는 소위 '고 카트(go-kart)' 세대에 속한다. 우리는 보타포구의 언덕에서 카트를 타고 내려오는 경주를 벌였다. 발이 브레이크였고, 떨어지고 다치기 일쑤였지만, 하이스피드 어드벤처에 대한 자부심만큼은 대단했다.

기사는 이렇게 이어진다.

> 휴대전화라는 것은 존재하지도 않았고 부모들은 우리가 어디 있는지 알 수가 없었다. 어떻게 그럴 수가? 잘못한 쪽은 항상 아이

들이었고 그 때문에 늘 벌을 받았지만, 아이들이 부모에게서 외면 당한다든가 애정결핍이라든가 하는 정신과적인 문제 따위는 없었다. 학교에는 우등생과 열등생이 있었다. 전자는 월반하고 후자는 유급됐다. 그러나 그런 일로 심리치료사를 찾는 일은 없었다. 점수가 모자라면 한 해 더 다니면 그만이었다.

그래도 우리는 살아남았다. 무르팍은 툭하면 깨졌어도 큰 정신적 외상은 없었다. 살아남았을 뿐 아니라, 우유가 독이 아니던 시절, 아이가 제 문제를 스스로 알아서 해결하고, 피치 못할 경우에는 싸우고, 전기로 작동되는 장난감은 거의 구경조차 못 하는 대신 친구들과 지어낸 놀이로 시간을 보내던 그 시절을 애틋하게 그리워한다.

이제 다시 처음 주제로 돌아가자. 나는 살인적인 성분을 지닌 우유를 대체할 그 혁신적인 신제품을 마셔보기로 했다.

그러나 한 모금을 넘기니 더는 마실 수가 없었다.

나는 제품에 관한 설명 없이 아내와 가사도우미에게도 마셔보라고 권했다. 두 사람 모두 세상에 태어나 그렇게 끔찍한 건 처음 마셔본다고 했다.

아이들의 컴퓨터게임 중독과, 휴대전화를 움켜쥔 부모와, 좌절할 때마다 그들을 돕는 심리상담사를 둔 아이들의 미래가 염려스럽다. 그리고 그 무엇보다 걱정스러운 건 아이들에게 콜레스테롤과 골다공증 유발물질, 59가지 활성호르몬, 유독성분이 함유되지 않은 이 '신비의 음료'를 마시라고 강요하는 일이다.

아이들은 흠잡을 데 없이 건강하고 균형 잡힌 육체를 갖게 되겠지만, 성인이 되어서야 우유의 맛을 알 수 있을 것이다(아마도 그때쯤이면 우유를 마시는 게 불법일지도 모르겠지만). 서기 2050년쯤엔 인류가 역사의 시작과 더불어 마셔온 무언가를 되살리는 데 기꺼이 자신을 바치려는 과학자들이 등장할지도 모를 일이다. 아니면 우유를 사려면 마약상을 찾게 될지도 모르겠다.

죽음이라는 운명

2004년 8월 22일 22시 30분, 생일을 마흔여덟 시간 앞둔 그때, 나는 죽음을 맞을 뻔했다. 지금 와서 돌이켜보니 임박한 죽음을 위한 무대까지 완벽하게 준비되어 있었던 것 같다.

a) 배우 윌 스미스가 그의 최근 출연작을 홍보하는 인터뷰에서 나의 책 『연금술사』를 여러 차례 언급했다.

b) 그 최근작의 원작은 수년 전 내가 재미있게 읽은 책으로, 아이작 아시모프의 『아이, 로봇』이었다. 나는 스미스와 아시모프에 대한 예우 차원에서 영화를 보러 가기로 했다.

c) 영화는 프랑스 남서부 지방의 작은 도시에서 8월 첫 주에 개봉되었다. 그러나 사소하기 짝이 없는 이유들로 나는 일요일까지 극장에 가는 걸 미뤄야 했다.

일찌감치 저녁을 먹은 나는 아내와 와인 반병을 마신 후, 가사도우미에게도 함께 극장에 가자고 권했다(그녀는 처음엔 거절하다가 결국 받아들였다). 미리 도착해 여유 있게 팝콘도 살 수 있었고, 영화는 재미있었다.

차로 십여 분 정도 걸리는, 낡은 방앗간을 개조한 우리집으로 가기 위해 나는 차에 올랐다. 브라질 음악 시디를 넣고 천천히 차를 몰기로 했다. 그렇게 해서 그 십 분 동안 적어도 노래 세 곡은 들을 수 있었다.

주민들이 모두 잠들어 고요한 작은 마을을 지나치는데, 운전석 사이드미러에 어디선가 나타난 두 개의 헤드라이트가 비쳤다. 앞쪽의 표지판에는 교차로 일단정지 표시가 있었다.

나는 어차피 뒤에 오는 차가 추월할 수 없다는 걸 알고 있었으므로 브레이크를 밟았다. 교차로의 표지판에도 그렇게 되어 있었다. 하지만, 모든 것은 순식간이었다. 이렇게 생각했던 기억만 난다. '저 사람 미쳤군!' 뭐라고 말할 겨를도 없었다. 운전자는 푯말을 보고 액셀러레이터를 밟았고, 나를 추월해 방향을 틀려다가 길 위를 굴렀다(내 기억에 그 차는 메르세데스 벤츠였던 것 같지만, 확실치는 않다).

그후로 기억 속 모든 것은 슬로모션이다. 그의 차가 옆으로 한 번, 두 번, 세 번 굴렀다. 차는 갓길을 넘어 바닥에 앞뒤 범퍼를 부딪히며 구르고 또 굴렀다.

내 차의 헤드라이트가 이 모든 장면을 비추고 있었지만 나는 급제동하지 못한 채, 공중제비를 돌고 있는 차를 향해 전진하고 있었다. 영화의 한 장면 같지만, 이 모든 것은 사실이며 실제 상황이었다!

마침내 차는 구르기를 멈추고 왼편으로 힘없이 쓰러졌다. 운전자의 셔츠가 보였다. 나는 그 옆에 차를 세우면서 한 가지 생각만 했다.

내려서 저 사람을 도와야 한다. 그때 아내의 손톱이 내 팔을 파고들었다. 아내는 여기서는 안 된다, 사고 차량이 폭발하면 불이 옮겨붙을 수도 있으니 차를 좀 떨어진 곳에 세우라고 부탁했다.

나는 다시 백여 미터 떨어진 곳까지 가서 차를 세웠다. 아무 일 없다는 듯 무심히 돌아가는 시디플레이어에서는 브라질 음악이 흘러나오고 있었다. 모든 것이 초현실적이었고, 아득했다. 아내와 가사도우미 이사벨은 차에서 내려 사고 지점으로 달려갔다. 그때 반대편에서 오던 다른 차량이 브레이크를 밟고 멈췄다. 한 여자가 흥분해서 뛰어내렸고, 그녀 차의 헤드라이트가 단테의 작품처럼 비극적인 현장을 비추었다. 여자는 내게 휴대전화가 있냐고 물었다. 예. 그럼 빨리 앰뷸런스를 부르지 않고 뭘 하세요!

비상 전화번호가 뭐죠? 여자가 나를 쳐다보았다. 그걸 모르는 사람이 어딨어요! 51 51 51! 내 휴대전화기는 꺼져 있었다. 영화를 보기 전 안내에 따라 전화기의 전원을 끈 것이었다. 나는 비밀번호를 입력하고 비상 전화번호를 눌렀다. 51 51 51. 나는 사고가 일어난 지점이 어딘지 정확히 알고 있었다. 랄루베르와 오르그 사이였다.

아내와 가사도우미가 돌아왔다. 운전석에 있던 젊은 남자는 찰과상을 입었지만 심각한 건 아닌 것 같다고 했다. 심각하지 않다니, 내가 본 것만도 여섯 번은 굴렀는데! 그는 약간 비틀거리며 차에서 나왔고 그사이 다른 운전자들이 차를 세웠다. 구급요원들은 오 분이 채 못 되어 도착했다. 별일 없을 것이다.

그렇다, 별일 없을 것이다. 그가 간발의 차로 내 자동차를 받았다면 그의 차는 우리를 도랑에 처박았을 것이다. 그랬다면 모두가 사나운 꼴이 되었겠지. 그것도 아주 사나운.

집에 돌아온 나는 별들을 바라보고 있다. 가끔씩 우리는 우리 앞에 예정된 일들과 맞닥뜨린다. 그러나 볼 수 있을 정도로 가까이 다가왔다 해도, 아직은 때가 아니므로 그것들은 우리를 그저 스쳐지나갈 뿐이다.

한 친구가 이런 말을 했다. 그 사고에서 일어날 일들은 모두 일어났다. 그러나 아무 일도 일어나지 않은 것이다. 나는 그것을 깨닫게 해준 신께 감사를 드렸다.

날이 밝는 순간

다보스에서 열린 세계경제포럼에서 노벨평화상 수상자 시몬 페레스가 들려준 이야기다.

한 랍비가 제자들을 모아놓고 물었다.

“밤이 끝나고 날이 밝는 정확한 순간을 어떻게 알아낼 수 있느냐?”

“양 떼 사이에서 개를 가려낼 수 있을 때입니다.”

어린 소년이 답했다.

한 제자는 이렇게 말했다.

“아닙니다. 멀리서도 무화과나무와 올리브 나무를 구별할 수 있어야 날이 밝은 겁니다.”

“둘 다 신통치 못한 대답이다.”

“그럼 정답은 뭔가요?”

제자들이 묻자 랍비가 대답했다.

“한 이방인이 우리에게 다가오고 있을 때, 우리가 그를 형제로 받아들여 모든 갈등이 소멸되는 그 순간이 바로 밤이 끝나고 날이 밝는 순간이다."

아무것도 아닌 동시에 가장 중요한 일

비가 억수같이 쏟아지고 있다. 기온은 대략 영상 3도. 나는 산책을 나가기로 했다. 매일 산책을 하지 않으면 일할 마음이 생기지 않는다. 하지만 바람까지 너무 거세게 불어 십 분 만에 집으로 돌아와야 했다. 우편함에서 신문을 꺼냈지만 중요한 뉴스는 없었다. 기자들이 자기들 입장에서 우리가 알고, 공감하고, 나름의 의견을 가져야 한다고 결정한 사안들뿐이었다.

나는 컴퓨터를 켜고 이메일을 확인했다. 새로운 소식은 없었다. 금방 해결할 수 있는, 별로 중요할 것 없는 몇 가지 결정들뿐.

활을 쏘아보려고도 했지만 바람 때문에 불가능했다. 나는 이 년 만에 소설 하나를 탈고했다. 제목은 『오 자히르』이고, 출간까지는 아직 몇 주가 남아 있다. 인터넷상에 게재할 칼럼도 끝냈고, 내 홈페이지도 업데이트했다. 내시경 검사를 했는데 다행히 아무 이상이 없다 (목구멍 안에 호스를 집어넣는 바람에 어지간히 놀랐지만, 걱정했던 것만큼 큰일은 아니었다). 치과에도 다녀왔고 기다리던 비행기 표가 드디어 속달로 도착했다. 내일 해야 할 일이 있고, 어제 마친 일도 있지만, 오늘은……

오늘은 딱히 할 일이 없다.

나는 초조해졌다. 뭐라도 해야 하는 게 아닐까. 굳이 할 일을 찾자면 없는 것도 아니었다. 돌아보면 일은 언제나 있다. 전구 갈아끼우기, 낙엽 쓸기, 책 정리, 컴퓨터 파일 정리. 하지만, 한 번쯤 그저 천장만 바라보는 건 어떨까?

나는 모자를 쓰고 방수점퍼를 입고 정원으로 나갔다. 이 차림대로라면 앞으로 너덧 시간은 추위에 끄떡없을 것이다. 나는 젖은 잔디 위에 앉아 머릿속을 부유하는 생각들을 항목별로 정리했다.

a) 나는 쓸모없는 인간이다. 다른 사람들은 이 순간 모두 바쁘게 열심히 일하고 있다.

답: 나도 열심히 일한다. 어떤 때는 열두 시간씩 일하기도 한다. 오늘은 어쩌다 일이 없는 것이다.

b) 지금 내 곁엔 친구가 없다. 나는 세계에서 가장 유명한 작가 중 한 사람이지만 여기서는 혼자다. 전화벨도 울리지 않는다.

답: 내게도 당연히 친구는 있지만, 내가 프랑스 생마르탱에 소재한 옛 방앗간집에 있는 동안 그들은 내게 고독이 필요하다는 점을 존중해준다.

c) 풀을 사러 가야 한다.

그렇다, 어제 풀이 떨어졌다는 것이 막 떠올랐다. 차를 타고 근처 시내로 갈까? 나는 거기서 생각을 멈췄다. 가만히 앉아서 좀 쉬는 게 왜 이리 어렵단 말인가.

이런저런 생각들이 스쳐갔다. 일어나지도 않은 일 때문에 미리 걱정하는 친구들, 터무니없어 보이는 일로 인생을 낭비하는 지인들, 의미 없는 대화들, 핵심이 없는 길고 지루한 전화통화들, 자릿값을 하느라 일거리를 만들어내는 상사들, 하루라도 중요한 업무를 맡지 못하면 책상이 없어질까 초조해하는 직장인들, 저녁에 아이들을 내보내고 전전긍긍하는 어머니들, 공부와 시험에 시달리는 학생들.

나는 자리에서 일어나 그놈의 풀을 사러 문구점으로 달려가지 않기 위해 나 자신과 싸워야 했다. 초조함이 극에 달했지만, 집 밖으로 나가지 않고 몇 시간만이라도 아무 일도 하지 않기로 결심했다. 서서히 불안은 사라졌고 나는 내 영혼의 목소리에 귀를 기울이기 시작했다. 그동안 내 영혼은 내게 할말이 많았을 텐데, 나는 너무나 오랫동안 바빴다.

바람은 여전히 거세게 불고 있다. 나는 바깥 날씨가 춥고 비가 내린다는 것, 그리고 내일은 풀을 사러 가야 할지도 모른다는 것을 알고 있다. 하지만 나는 아무것도 하지 않는 동시에 할 수 있는 가장 중요한 일을 하고 있다. 귀 기울여야 했던 내면의 목소리를 듣고 있는 것이다.

바닥에 쓰러져 있던 남자

1997년 7월 1일 오후 한시 오분. 코파카바나 해변에 쉰 살가량의 사내가 누워 있었다. 나는 그를 흘낏 보고는 그냥 지나쳐 언제나 들르는 코코넛 음료 가게로 갔다. 리우데자네이루에 살면서 바닥에 누워 있는 남자나 여자, 아이들을 본 건 백 번 아니 천 번도 넘는다.

여행을 숱하게 다니는 나는 세계 모든 나라에서 똑같은 광경을 보았다. 부유한 스웨덴에서부터 궁핍한 루마니아까지, 날씨에 상관없이 바닥에 누워 있는 사람들이 있다. 마드리드, 파리, 뉴욕 할 것 없이, 살을 에는 추위에도 지하철역 바깥으로 뿜어져나오는 히터 열기에 몸을 덥히는 사람들. 레바논의 이글거리는 태양 아래, 수년간의 전쟁으로 폐허가 된 건물 안에도 바닥에 누워 있는 사람들이 어김없이 눈에 띈다. 술주정뱅이, 노숙자, 비렁뱅이. 흔한 광경이다.

나는 코코넛 음료를 마셨다. 스페인 일간지 〈엘 파이스〉의 후안 아리아스 기자와 인터뷰 약속이 있어 서둘러 집으로 돌아가야 했다.

사내는 여전히 그 자리에 누워 있다. 그 옆을 지나는 사람들의 반응은 나와 똑같았다. 다들 사내를 흘낏 보고 총총 지나간다.

수없이 반복되는 광경을 목도하며 내 영혼도 지친 걸까. 다시 그 남자 곁을 지나치는데 내 안의 강한 무엇이 말하고 있었다. 사내를 굽어보고, 일으켜주라고.

사내는 꼼짝도 하지 않았다. 이마를 만져보니 관자놀이에 피가 흐르고 있었다. 어쩌지? 심각한 부상일까? 나는 입고 있는 티셔츠로 그의 얼굴을 닦았다. 심각할 정도는 아닌 듯했다.

그 순간 사내가 중얼거렸다.

"때리지 말아요."

그는 살아 있었다. 이제 내가 할 일은 그를 땡볕이 내리쬐는 곳에서 옮기고 경찰을 부르는 것이었다. 지나가는 사람 중 처음 눈에 띈 사람에게 남자를 그늘로 옮길 수 있도록 도와달라고 했다. 양복을 입고 서류가방을 든 행인은 지체 없이 도와주었다. 아마 그 역시 이런 장면에 신물이 났을 터였다.

그와 함께 사내를 그늘에 옮겨놓고 나는 집을 향해 발걸음을 뗐다. 근처에 도움을 요청할 경찰 초소가 있었다. 그런데 그곳에 닿기 전에 경찰관 두 명을 만나게 되었다.

"저기 이러저런 곳 맞은편에 부상당한 남자가 누워 있어요. 모래 위에 뉘어놓았습니다. 앰뷸런스를 불러야 할 것 같아요."

경찰관 두 명은 내게 조치를 취하겠다고 했고, 나는 거기까지가 내 의무라고 생각했다. 보이스카우트는 언제나 준비되어 있는 법. 이것이 오늘 나의 선행이다. 이제 문제는 저들에게 넘어갔고 그들의 책임이었다. 나는 이미 집에 도착해 이제나저제나 나를 기다리고 있을 스페인 기자를 떠올렸다.

열 걸음이나 떼었을까, 한 외국인이 다가와 알아듣기 힘든 포르투갈어로 내게 말했다.

"나도 경찰관들에게 그 남자 이야기를 했습니다만, 경찰들은 그 사람이 도둑이 아니어서 자기들 소관이 아니라더군요."

나는 그의 말이 끝나기도 전에 경찰들을 뒤쫓아갔다. 내심 내가 누구인지, 신문에 글도 쓰고 텔레비전에도 얼굴을 비추는 사람이란 걸 그들이 알아봐주길 바라며. 나는 가끔 유명세가 문제 해결에 도움이 된다는 헛된 믿음을 가지고 행동할 때가 있다.

"혹시 관계자십니까?"

둘 중 하나가 물었다. 나는 무슨 일이 있어도 사내를 도와야겠다고 마음을 굳혔다.

그러나 그들은 나를 알아보지도 못했다.

"아뇨, 하지만 이 문제는 즉시 해결해야 할 것 같소."

내 차림은 엉망이었다. 땀과 피투성이인 티셔츠에 낡은 청바지를 자른 반바지. 나는 수년 동안 바닥에 쓰러져 있는 사람들을 보고도 모른 척 지나치는 데 지친, 익명의 아무개일 뿐이었다. 내게 공식적인 권위 같은 것은 없었다.

그리고 그것이 모든 것을 바꿔버렸다. 우리가 그 어떤 제약이나 두려움으로부터 벗어나는 순간이 있다. 그럴 때 우리의 눈빛은 달라지고, 우리의 절박함이 타인에게 전달된다. 경찰들은 나를 따라와 앰뷸런스를 불렀다.

집으로 돌아오는 길에 나는 산책에서 배운 세 가지 교훈을 되새겼다.

a) '낙관적인' 전망을 지니고 있으면 틀에 박힌 행동에서 벗어날 수 있다.

b) '당신이 시작한 일은 당신이 끝내라'고 격려하는 사람들이 늘 우리 곁에 있다.

c) 자신이 하는 일에 뚜렷한 확신을 가지면, 누구에게나 권위는 생겨난다.

모자라는
벽돌 한 장

아내와 여행중이었을 때의 일이다. 비서가 우리에게 팩스를 보내왔다.

"부엌 리모델링 공사에 유리벽돌 한 장이 모자랍니다. 건축가가 새로 그린 설계도와 원래의 설계도를 첨부합니다."

아내가 그린 원래의 설계도에는 환풍기 뚜껑을 포함해 벽돌선이 조화를 이루며 그려져 있었다. 모자라는 벽돌 한 장 때문에 새로 그린 설계는 미학적 개념이 배제된, 네모난 유리 퍼즐이나 다름없었다.

"모자라는 벽돌을 사세요."

아내는 팩스로 답장을 했다. 그렇게 해서 부엌은 원래의 설계도에 따라 만들어졌다.

그날 오후 나는 그 일을 곰곰이 되새겨보았다. 모자라는 단 한 장의 벽돌 때문에 우리는 원래 가졌던 삶의 목표를 완전히 바꾸는 경우가 얼마나 많은가 하고.

크리슈나의 대답

벵골의 가난한 마을에 남편을 잃은 한 여인이 살고 있었다. 여인은 아들에게 줄 차비조차 없어서 아들은 홀로 숲길을 걸어 학교에 다니기 시작했다. 아들의 마음을 다독이기 위해 여인이 말했다.

"얘야, 무서워할 것 없다. 크리슈나님께 함께해달라고 기도 드려라. 그분은 네 기도를 들어주실 거다."

어머니의 말대로 기도를 드리자 크리슈나 신이 나타나 매일 소년을 학교까지 바래다주었다.

선생의 생일이 되자 소년은 어머니에게 선생님 생일 선물을 사야 하니 돈을 줄 수 있느냐고 물었다.

"얘야, 우리집에는 돈이 없지 않니. 네 형제 크리슈나 신께 선물을 마련해달라고 부탁해보려무나."

다음날 소년은 크리슈나에게 어려운 사정을 털어놓았고, 크리슈나는 그에게 우유가 가득 담긴 단지를 주었다.

소년은 뿌듯한 마음으로 선생에게 단지를 선물했다. 그러나 다른 아이들에게서 훨씬 값비싼 선물을 받은 선생은 소년의 선물을 거들떠보지도 않았다. 단지 조수에게 이렇게 말했을 뿐이었다.

"저 단지를 부엌에 갖다두거라."

조수가 단지를 부엌으로 가지고 가 우유를 다른 그릇에 옮겨 부었을 때였다. 빈 단지 안에 우유가 다시 차오르기 시작했다. 조수는 즉시 이 일을 선생에게 알렸다. 놀란 선생은 소년을 불러 캐물었다.

"이 단지는 어디서 얻었느냐? 이 단지에 언제나 우유가 가득 차오르는 것은 대체 무슨 조화냐?"

"숲의 신 크리슈나께서 주셨어요."

모두 웃음을 터뜨렸다.

"숲에 신이 있다고? 그런 것은 다 미신이야. 만약 신이 있다면 우리도 좀 보자꾸나!"

선생의 말에 그들은 모두 숲으로 갔다. 소년이 크리슈나를 불렀지만 그는 나타나지 않았다. 소년이 마지막으로 간절히 애원했다.

"내 형제 크리슈나여, 우리 선생님이 당신을 만나고 싶어합니다. 제발 모습을 보여주세요!"

그 순간 숲을 울리는 목소리가 들려왔다. 소리는 메아리쳐 울렸다.

"너의 선생이라는 자가 어찌 내 모습을 보겠느냐? 그는 내가 존재하는 것조차 믿지 않는 것을!"

바벨탑의 저편

나는 오전 내내 나를 초청한 사람들과 이야기를 나누었다. 나는 어느 나라에 가더라도 가장 흥미로운 것은 박물관이나 교회가 아닌 사람들이고, 그래서 시장에 가는 것이 가장 즐겁다고 말했다. 그러자 누군가 내게 오늘은 국경일이라 장이 서지 않는다고 했다.

"그럼 어딜 가죠?"

"교회요."

예상했던 대답이었다.

"오늘은 우리에게 아주 특별한 의미를 지닌 성인을 기리는 날입니다. 선생께도 의미가 있을 것 같아 그 성인의 묘지를 방문하려고 합니다. 그러니 잠시 질문은 접어두시고 저희를 믿고 따라주세요. 선생을 위해 준비한 게 있어요."

"교회까지 얼마나 걸리는데요?"

"이십 분이요."

사람들은 언제나 이십 분쯤 걸린다고 대답한다. 당연히 그보다는 더 걸릴 것이다. 하지만 이제까지 내가 바라던 것들을 모두 들어주었으니, 나도 그들의 말을 따르지 않을 수 없었다.

일요일 아침이었고, 나는 아르메니아 예레반에 있었다. 마지못해 차에 올라탄 내 눈앞에 저 멀리 눈 덮인 아라라트 산*이 나타났다. '지금 이 양철통에 갇혀 있는 대신 저곳을 거닐고 있다면 얼마나 좋을까.' 나는 차창 밖의 교외 풍경을 바라보며 생각했다. 나를 초대한 이들이 내 비위를 맞추려 애썼지만 나는 이 '특별 프로그램'에 시큰둥한 태도를 보였다. 마침내 그들도 말붙이기를 포기했고, 차 안에는 어색한 침묵이 감돌았다.

오십 분을 달린 후(그럴 줄 알았다!), 우리는 작은 도시의 북적이는 교회 앞에 멈췄다. 참석자들이 모두 양복에 넥타이 차림인 걸 보면 굉장히 격식 있는 자리인 듯했다. 청바지에 티셔츠를 입은 내 차림이 민망해졌다. 차에서 내리자 나를 기다리고 있던 작가협회 사람들이 다가와 꽃 한 송이를 건네주었다. 그러고는 환영 나온 신도들을 헤치고 나를 성단까지 안내했다. 성단 뒤편의 층계를 따라 내려가니 무덤이 있었다. 성자를 모신 곳이었다. 하지만 꽃을 내려놓기 전에 내가 추모할 성인이 어떤 분인지 알고 싶었다.

"거룩한 번역가들을 수호하시는 성인이십니다."

사람들이 내게 대답했다.

거룩한 번역가라니! 순간 내 눈에 눈물이 고였다.

---

* 노아의 방주가 떠돌다 정박했다는 산.

그날은 2004년 10월 9일이었고, 내가 있는 곳은 오즈하칸이라는 도시였다. 내가 알기로 아르메니아는 번역가인 성 메스롭 축일을 국경일로 선포하고 기념하는 유일한 나라다. 성 메스롭은 구어로만 존재하던 아르메니아어의 자음과 모음을 만들었을 뿐 아니라 그리스어, 페르시아어, 키릴문자로 씌어진 동시대 중요 문서를 번역하는 데 평생 열정을 쏟은 성인이다. 그와 제자들은 성서와 그 시대 주요 고전들을 번역하는 엄청난 과제에 일생을 바쳤다. 그로부터 아르메니아 문화는 자기만의 정체성을 가지게 되었고, 그것이 오늘날까지 이어져오고 있다.

거룩한 번역가들의 수호성인. 나는 손에 꽃을 들고, 지금까지 한 번도 본 일이 없고 아마 앞으로도 좀처럼 만날 기회가 없을, 지금 이 순간 내 책을 손에 쥐고 있는 사람들, 내가 독자들과 나누려는 바를 최대한 충실하게 전달하기 위해 최선을 다하고 있을 번역자들을 생각했다. 그리고 그중에서도 내 장인이자 번역가인 크리스티아누 몬테이루 오이티시카를 생각했다. 이제는 성 메스롭과 함께 저세상에 있을 장인어른은 지금 내 모습을 내려다보고 있으리라. 장인어른이 낡은 타자기 앞에 쪼그리고 앉아 턱없이 낮은 번역료에 대해 탄식하던 모습이 아직도 눈에 선하다(안타깝게도 번역가들의 열악한 여건은 여전하다). 그러면서도 그는 당신이 번역을 하는 것은 당신의 지식을 타인들과 나누기 위해서이며, 그것은 번역가의 사명이라고 했다.

나는 장인어른을 위해, 그리고 내 책을 번역하는 모든 번역가들을 위해, 내 삶과 개성을 다듬어 나 혼자 힘으로는 해독이 불가능할 책들을 독자들 손에 쥐여준 이름 없는 그들을 위해 조용히 기도를 올렸다. 나는 성당을 나오며 어린아이들이 성당 앞에 사탕과 꽃을 알파벳 모양으로 늘어놓는 모습을 지켜보았다.

사람들의 오만에 분노한 신은 바벨탑을 무너뜨렸고, 그때부터 인간은 서로 다른 언어로 말하게 되었다. 그러나 신은 한량없는 자비로움을 베푸사, 인간에게 대화를 가능케 하고, 사고의 차이를 극복할 수 있는 다리를 놓게 하셨다. 번역서를 펼칠 때 여간해서는 눈여겨보지 않게 되는 이들, 번역가들이 바로 그 다리를 놓는 이들이다.

강연 직전에

한 중국 여성작가와 함께 미국 서적상들과의 만남을 기다리던 중이었다. 잔뜩 긴장한 그녀가 내게 말했다.

"사람들 앞에 나서는 건 정말이지 곤혹스런 일이에요. 게다가 생각해보세요, 자기가 쓴 책에 대해 외국어로 말해야 하다니!"

나는 그녀에게 그만해달라고 부탁했다. 안 그러면 나까지 긴장을 떨칠 수 없다고, 나라고 별 뾰족한 수가 있는 건 아니라고. 그런데 갑자기 그녀가 내 쪽으로 돌아서며 속삭이는 게 아닌가.

"다 잘될 거예요. 걱정 마세요, 우린 혼자가 아니니까요. 내 뒤에 앉은 여자의 서점 이름을 보세요!"

여자가 달고 있는 배지에는 '천사 연합 서점'이라고 씌어 있었다. 우린 둘 다 책 소개를 멋지게 끝낼 수 있었다. 천사들이 우리에게 원하던 사인을 보내주었으므로.

기품에 관하여

가끔씩 내가 구부정한 자세로 앉거나 서 있다는 사실을 깨달을 때가 있다. 뭔가 제대로 돌아가고 있지 않다는 표시다. 그럴 때마다 나는 불편함의 원인을 찾으려 하기도 전에 먼저 기품 있는 자세를 취하려고 애쓴다. 자세를 고치는 그 간단한 동작만으로도 내가 하고 있는 일에 자신감이 생기는 것을 느낄 수 있다.

사람들은 흔히 기품을 겉모습이나 패션에 관련된 말이라고 여기곤 한다. 그건 심각한 오해다. 인간이란 존재는 무릇 행동과 자세에 기품이 있어야 한다. 기품이란 훌륭한 취향, 우아함, 균형과 조화의 동의어다.

인생에서 중요한 한 걸음을 내디딜 때, 우리는 여유와 기품을 갖추고 행동해야 한다. 물론 손동작은 어떤지, 앉아 있는 모습은 괜찮은지, 미소가 어색하진 않은지 매순간 전전긍긍하라는 말은 아니다. 그러나 우리의 육체도 언어를 가지고 있다는 것, 그리고 타인이 그것을 통해 무의식적으로나마 말을 넘어서서 표현하려는 무언가를 읽어낼 수 있다는 사실을 기억해둘 필요가 있다.

여유는 마음에서 나온다. 가끔 불안에 시달릴 때도 있지만, 우리의 마음은 바른 자세를 통해 평정을 되찾을 수 있음을 알고 있다. 지금 내가 말하려는 육체적인 기품은 겉모습이 아니라 몸에서 우러나오는 것이다. 기품은 우리가 땅 위에 두 발을 딛고 서는 방식을 존중하는 데서 온다. 바른 자세가 불편하더라도 가식적이거나 인위적인 것으로 여겨서는 안 되는 이유는 그 때문이다. 어려우니까 진짜다. 품위는 순례자의 길을 영예롭게 한다.

기품을 거만함이나 속물근성과 혼동하지 않았으면 한다. 기품은 우리의 거동을 완벽히 하고, 발걸음을 굳건히 하고, 함께하는 사람들에 대한 존경을 표하기 위해 갖춰야 할 자세다.

그것은 불필요한 것들을 떼어내고, 단순함과 집중력을 발견해야만 성취될 수 있다. 단순하고 절제된 동작일수록 아름다운 법이다.

눈은 흰색 하나로 이루어진 단색이라서 아름답고, 바다는 수면이 고요할 때 아름답다. 하지만 바다나 눈에는 모두 깊이가 있고, 그들만의 특질이 있다.

주저하거나 두려워 말고 즐겁게, 확신에 찬 발걸음을 내디뎌라. 한 걸음 한 걸음 더불어 나아갈 때마다 동반자들이 함께할 것이며, 필요하다면 우리를 도울 것이다. 그러나 적이 우리를 주시하고 있음을, 우리가 굳건할 때와 두려움에 떨 때를 알아본다는 것을 잊어선 안 된다. 긴장되면 숨을 깊이 들이쉬고, 평정을 되찾을 수 있다고 믿으라. 그러면 불가해한 기적을 통해 우리의 내면은 고요함으로 가득 차오를 것이다.

결정을 내리는 순간에는 긴장을 풀고 그 순간까지 이르게 한 모든 단계를 마음속으로 돌이켜보라. 하지만 그러느라 긴장할 필요는 없다. 어차피 머릿속으로 모든 걸 통제하는 건 불가능하니까. 영혼을 자유롭게 한 채로 각 단계를 돌아보면, 가장 힘들었던 순간에 자신이 그것을 어떻게 극복해왔는지 알게 될 것이다. 이런 과정이 고스란히 몸에 반영되므로, 집중해야 한다!

그것을 활쏘기에 비유해보겠다. 많은 궁수들이 몇 년씩 연마해도 여전히 가슴이 두근거리고 손이 떨려 과녁을 빗맞힌다고 푸념한다. 활쏘기에서는 실수가 더 명백히 드러나는 법이다.

의욕이 없고 삶의 목표는 흐릿하고 만사는 복잡하게 얽히는 날이 있다. 그런 때는 활 시위를 당길 힘이 턱없이 부족하다고 느껴진다. 그런 아침이면 우리는 겨냥이 잘못 되었음을 깨닫고, 화살이 빗나가는 원인을 찾으려 한다. 그러면 우리는 그때껏 숨겨져 있던, 우리를 괴롭히는 장애물들과 마주하게 될 수밖에 없다.

그리고 문제의 원인이 몸이 노화했거나 기품이 사라진 데 있음을 발견하게 될 것이다. 그럴 때면 자세를 바꾸고, 머리를 쉬게 하고, 가슴을 펴고, 세상과 마주하라. 몸을 배려하는 것은 곧 영혼을 배려하는 것이며, 이는 양쪽 모두를 이롭게 한다.

기적의 장미 세 송이

기적이란 무엇인가?

기적을 정의하는 말은 수없이 많다. 기적이란 자연의 법칙을 거스르는 무엇일 수도 있고, 극심한 위기의 순간에 신이 내려준 해결책일 수도, 과학적으로는 설명이 불가능한 어떤 일일 수도 있다.

내게도 기적에 대한 나만의 정의가 있다. 내게 기적이란, 우리의 영혼을 평화로 채우는 것이다. 종종 기적은 치유나 소원성취 등의 형태로 나타난다. 여하간 우리는 기적이 일어나면, 신이 베푼 은혜로움에 깊이 감사하게 된다.

이십여 년 전 내가 히피로 살던 시절, 누이는 내게 큰 조카의 대부가 되어달라고 부탁했다. 나는 그 제안을 기꺼이 받아들였고, 특히나 누이가 허리까지 치렁치렁 기른 머리를 자르라든가 조카에게 비싼 선물을 사줘야 한다든가 하는 다른 조건을 붙이지 않은 데 안도했다.

조카가 태어나고 일 년이 지났는데도 세례식을 한다는 소식이 없었다. 나는 누이의 마음이 변한 거라고 믿기 시작했다. 대체 세례를 미루는 이유가 뭐냐고 묻는 내게 누이는 이렇게 대답했다. "그 아이의 대부는 너야. 다만 바에펜디에서 세례를 받게 하겠다고 냐시카와 약속했거든. 내게 은혜를 베푼 분이라서."

나는 바에펜디가 어디 붙어 있는지도 몰랐고 냐시카라는 이름도 들어본 적이 없었다. 세월이 흘러 히피 시절을 뒤로하고 나는 음반회사의 임원이 되었고, 누이는 딸 하나를 더 낳았다. 하지만 여전히 세례식에 관한 소식은 없었다. 1978년, 마침내 세례일자가 정해졌고 우리 집안과 사돈 집안 양가가 바에펜디에 모였다. 세례식을 통해 나는 냐시카라는 사람에 대해 알게 되었다. 그녀는 찢어지게 가난하게 살면서, 삼십 년간 교회를 세우고 가난한 사람들을 도운 사람이었다.

당시의 나는 질풍노도의 시기를 보낸 뒤, 더이상 신을 믿지 않았다. 아니, 그보다는 영혼의 세계가 특별히 중요한 것이라는 믿음을 버렸다고 하는 편이 낫겠다. 그 시절, 내겐 눈에 보이는 세상과 내가 성취할 수 있는 일들만이 중요했다. 나는 청춘의 미친 꿈들을 내던졌다. 그중에는 작가가 되겠다는 꿈도 포함되어 있었다. 그 시절로 회귀할 마음 따위는 전혀 없었다. 세례식이 열리는 성당 안에서 내가 느낀 것은 오로지 사회적 의무감뿐이었다.

그렇게 식이 시작되기를 기다리며 밖을 서성이다가 우연히 교회 옆에 붙은 냐시카의 처소에 발을 들이게 되었다. 방 두 개에 성화가 붙어 있는 성단, 붉은 장미 두 송이와 흰 장미 한 송이가 꽂힌 꽃병 외에는 아무것도 없는 곳. 그때 내가 가졌던 인생관과는 아무 상관없이, 나는 갑자기 이렇게 다짐했다. 만약 내가 한때 바라던 대로 작가가 된다면, 쉰 살이 되어 여기에 다시 오리라. 붉은 장미 두 송이와 흰 장미 한 송이를 들고서.

세례 기념으로 나는 냐시카의 그림 한 장을 샀다. 그런데 리우데자네이루로 돌아오는 길에 사고가 났다. 내 차 앞에서 버스 한 대가 갑자기 멈춰 섰고 나는 급히 핸들을 돌려 간발의 차로 버스와의 충돌을 피했다. 내 뒤를 따르던 매제도 다행히 버스와 충돌하지 않았다. 하지만 우리 뒤에 오던 차량은 그대로 버스와 부딪쳐 폭발했고, 그 사고로 많은 사상자가 났다. 매제와 나는 허둥지둥 갓길에 차를 세웠다. 그리고 주머니에서 주섬주섬 담뱃갑을 꺼내려는데 문득 손에 잡히는 것이 있었다. 침묵 속에서 보호의 메시지를 전하고 있는 냐시카의 그림이었다.

꿈과 영적인 것의 추구, 문학을 향한 나의 여행이 다시 시작된 것은 바로 그 순간이었다. 어느 날 나는 나 자신이 선한 싸움에 임하고 있다는 사실을 깨닫게 되었다. 그것은 기적의 결과였으므로 나의 마음도 평화로 가득했다. 나는 언제나 장미 세 송이를 잊지 않고 있었다. 그리고 마침내, 그때는 그처럼 멀게만 보이던 쉰번째 생일이 왔다.

월드컵이 열리는 기간이었지만 나는 자신과의 약속을 지키기 위해 바에펜디로 갔다. 카삼부에서 하룻밤 묵어가는 나를 본 사람이 있었는지 한 기자가 인터뷰를 하러 왔다. 내 이야기를 듣고 나서 기자가 말했다.

"냐시카의 이야기를 좀 들려주십시오. 이번 주에 그녀의 시신을 발굴한다는군요. 바티칸에서 시복식이 열리거든요. 사람들이 생전에 그녀와의 체험을 증언하려고 모일 겁니다."

"아뇨." 나는 대답했다. "너무 개인적인 일이라서요. 무슨 징조라도 겪게 되면 이야기해드리겠습니다."

그러면서 나는 생각했다. 무슨 징조가 일어나겠는가. 누군가 그녀를 대신해 내게 무슨 말이라도 전한다면 모를까.

다음날 나는 장미 세 송이를 사들고 바에펜디로 갔다. 교회에서 멀찍이 떨어진 곳에 차를 세우고 음반회사 시절과, 나를 그곳으로 이끈 수많은 일들과 그 많은 날들을 돌이켜보았다. 냐시카의 처소로 막 들어가려는데 세탁실에서 젊은 여자가 나오더니 내게 말했다.

"선생님의 책 『마크툽: 모든 것은 기록되어 있으니』에다 그 책을 냐시카에게 바친다고 쓰셨지요? 그분께선 분명 기뻐하셨을 거예요."

그 말뿐이었다. 하지만 그녀는 내가 기다리던 표지(標識)를 주었다. 그것이 내가 공식적으로 할 수 있는 말이다.

집 다시 짓기

지인 하나가 꿈과 현실을 조화시키지 못한 까닭에 심각한 재정난에 부딪히게 되었다. 더 난감한 것은 그 때문에 죄 없는 사람들까지 줄줄이 엮여들게 된 것이었다.

빚을 갚지 못한 그는 자살까지 생각하게 되었다. 그러던 어느 날 오후, 그는 길을 따라 걷다가 다 허물어진 집 한 채를 발견하고는 중얼거렸다.

"꼭 내 처지 같구나."

그리고 그 순간, 그 집을 다시 세워야겠다는 맹목적인 바람이 생겨났다.

그는 집주인을 찾아가 집을 고쳐주겠다고 했다. 주인은 무슨 이득 볼 게 있다고 그러는지 이해하지는 못했지만 그의 제안에 응했다. 그들은 함께 기와와 나무, 시멘트 등을 준비했다. 지인은 온 힘을 다해 일했다. 그 까닭은 자신도 알지 못했다. 그럼에도 그는 집의 모습이 온전해질수록 자신의 삶이 나아지고 있음을 느꼈다.

공사는 일 년 만에 끝났다. 그리고 그의 모든 개인적인 문제들도 해결되었다.

잊고 있던 기도문

삼 주 전 상파울루 근처를 산책하고 있을 때였다. 친구 에디뇨가 내게 '성스러운 순간'이라고 씌어진 인쇄물 한 장을 건넸다. 컬러로 찍은 멋진 인쇄물이었는데, 어디에도 특정 교회의 이름이나 종교와 관련된 문구는 찾을 수 없었다. 뒷면에는 기도문이 인쇄되어 있었다.

기도문 밑에 씌어진 이름을 발견하고 나는 소스라치게 놀랐다. 내 이름이었다! 그것은 1980년대 초 출판되었던 시집의 안쪽 커버에 씌어 있던 글이었다. 그것이 세월의 시험을 견디고 살아남아 이렇게 희한한 경로로 다시 내 손에 들어오리라고는 생각지 못했다. 그러나 다시 읽고 난 후에도 당시 썼던 내용들이 부끄럽지 않았다.

나는 이런 표지를 믿는 사람이므로 그 기도문을 여기 다시 옮긴다. 나의 모든 독자들이 이에 고무되어 자기만의 기도문을 쓰게 되고, 자신과 타인을 위해 가장 중요한 것이 무엇인가를 묻게 되기를 바라는 마음에서. 그럼으로써 우리 마음속에 우리를 둘러싼 모든 것을 어루만지는 긍정적인 파장이 일어나리라.
여기 그 기도문이 있다.

주여, 우리의 의심을 지켜주소서. 의심 또한 기도하는 한 방법입니다. 의심은 우리를 성장하게 합니다. 그것이 우리가 하나의 문제에 대한 많은 답들과 두려움 없이 마주하도록 하기 때문입니다. 그러기 위하여……

주여, 우리의 결정을 지켜주소서. 결정 또한 기도하는 한 방법입니다. 우리의 의심을 이기고, 이 길과 저 길 중에 하나를 선택할 수 있는 용기와 능력을 주소서. 우리의 긍정이 늘 긍정이도록, 우리의 부정이 늘 부정이도록 하소서. 한번 결정한 길은 뒤돌아보지 않도록, 후회가 우리의 영혼을 잠식하지 않도록 하소서. 그러기 위하여……

주여, 우리의 행동을 지켜주소서. 행동 또한 기도하는 한 방법입니다. 우리의 일용할 양식이 우리가 맺는 가장 좋은 열매가 되게 하소서. 노동과 행동을 통해 우리가 받을 사랑을 나누게 하소서. 그러기 위하여……

주여, 우리의 꿈을 지켜주소서. 꿈 또한 기도하는 한 방법입니다. 나이와 외적 조건에 상관없이 가슴속에 성스러운 희망과 인내의 불씨를 품게 하소서. 그러기 위하여……

주여, 우리에게 열정을 주소서. 열정 또한 기도하는 한 방법입니다. 우리를 하늘과 땅, 어른이나 어린아이들과 결합케 하는 것이 바로 그것이니. 열정은 우리의 욕구가 중요함을 일깨워주고 최선을 다하도록 북돋워줍니다. 우리가 하는 일과 혼연일체가 되어 있는 한 모든 것이 가능하다는 것을 열정은 재삼 확인해줍니다. 그러기 위하여……

주여, 우리를 지켜주소서. 생명은 우리가 당신의 기적을 다시 펼쳐 보일 유일한 길입니다. 이제까지 그랬듯 땅이 씨앗을 낟알로 여물게 하시고, 밀알을 빵으로 만들게 하소서. 이 모든 것은 우리에게 사랑이 있을 때만 가능합니다. 그러니, 우리를 외롭게 하지 마소서. 언제나 우리 곁에 머물러 계시며, 의심하고 행동하고 꿈과 열정을 품은 사람들, 매일매일 당신께 영광 돌리는 삶을 이들과 더불어 함께하게 하소서.

아멘.

가난한 마음은
행복하다

아내와 내가 그녀를 만난 것은 코파카바나의 콘스탄트 라모스 거리 모퉁이에서였다. 예순 살가량의 여인은 군중에 둘러싸인 채 휠체어에 앉아 있었다. 아내가 도와드릴까요, 하고 묻자 여인은 산타 클라라 가로 데려다달라고 했다.

휠체어 등받이에는 비닐봉지 몇 개가 덜렁덜렁 매달려 있었다. 우리와 함께 가면서 여인은 말했다. 그 봉지에 들어 있는 것이 자신의 전 재산이라고. 잠은 상점 현관에서 자고, 동냥을 해서 먹고산다는 것이었다.

여인이 가자는 곳에 도착하니 거지들이 모여 있었다. 그녀는 비닐봉지에서 실온 보관 우유 두 팩을 꺼내 그들에게 나누어주며 우리에게 말했다.

"받은 게 있으면, 베풀 줄도 알아야 하는 법이죠."

그는 살아서 죽었다

어림잡아보건대, 독자들이 이 책 한 페이지를 읽는 데는 삼 분 정도가 걸릴 것이다. 통계에 따르면, 그 시간 동안 약 삼백 명이 죽고 육백이십 명이 이 세상에 태어난다.

내가 이 한 페이지를 쓰는 데는 약 반시간 정도가 걸린다. 나는 정신을 집중하며 컴퓨터 앞에 앉아 있고, 옆에는 책들이 흐트러져 있고, 머릿속에는 영감이 떠오르고, 밖에는 자동차들이 지나간다. 모든 것이 지극히 평범한 상태다. 그럼에도 그 삼십 분 동안 삼천 명이 죽고 육천이백 명이 세상의 빛을 본다.

지금 이 순간에도 이 세상 어디선가 수많은 가족들이 누군가를 여읜 슬픔에 울고 있고, 또다른 수많은 가족들은 새로운 아이, 손자, 형제 혹은 자매의 탄생에 기뻐하고 있을 것이다.

나는 잠시 일에서 손을 놓고 생각에 잠긴다. 길고 고통스런 병마에 시달리다 삶을 마쳤을 이들도 있고, 죽음의 천사가 마침내 환자를 데려가준 것에 안도하는 사람들도 있을 것이다. 세상에 태어나자마자 버려진 수백 명의 아이들이 내가 이 글을 마치기도 전에 사망자 수치에 오르기도 할 것이다.

얼마나 이상한 일인가. 우연히 눈에 띈 단순한 통계로 인해 나는 갑작스레 상실과 만남, 미소와 눈물에 대해 생각하게 되었다. 돌보는 손길 하나 없이 자기 방에서 홀로 죽어가는 사람들은 얼마나 될까? 보는 눈을 피해 태어나 고아원이나 수도원 문 앞에 버려지는 아이들은 또 얼마나 많을까?

나는 곰곰이 생각한다. 나도 한때 이 출생 통계수치에 들어 있었을 것이고, 언젠가는 사망자 수치에 포함될 것이다. 죽는다는 사실을 알고 있다는 것은 얼마나 다행한 일인가. 산티아고의 길을 다녀온 이래 나는 이해하게 되었다. 삶이 계속될지라도, 우리 모두가 영원한 존재라 하더라도, 그 실존은 언젠가 끝나리라는 것을.

사람들은 죽음에 대해 깊이 생각하지 않는다. 사는 동안 쓸데없는 일들을 걱정하고, 일을 미루고, 중요한 순간들을 인식하지 못한 채 스쳐지나간다. 위험을 감수하려 하지 않고, 늘 푸념하면서도 막상 행동하기는 두려워한다. 모든 것이 달라지길 바라면서도 스스로는 변화하려 들지 않는다.

죽음에 대해 조금만 더 생각한다면, 오랫동안 미뤄온 전화 통화를 더는 미루지 않게 될 것이다. 우리 삶은 지금보다는 좀더 활기를 띠게 될 것이고, 육신의 종말을 두려워하지 않게 될 것이다. 어차피 일어날 일을 두려워할 사람은 없을 테니까.

인디언들은 이렇게 말한다. '세상을 떠나기에 특별히 좋은 날은 없다.' 한 현자는 이렇게 말했다. '죽음은 언제나 당신 곁에 있다. 그리고 당신이 무언가 중요한 일을 할 때 필요한 힘과 용기를 주는 것은 바로 그 죽음이다.'

나는 그 경지에 이르기를 바란다. 죽음을 두려워하는 것은 어리석다. 우리 모두 이르든 늦든 언젠가 죽는다. 그리고 그 사실을 받아들이는 자만이 삶 앞에 준비된 자이다.

꿈을 좇은 사나이

나는 리우데자네이루의 상 호세 병원에서 태어났다. 난산이었고, 어머니는 나를 살려달라고 상 호세(성 요셉)께 간절히 기도를 드렸다. 그리고 그때부터 성 요셉은 내 삶의 모퉁잇돌이 되었고, 1987년 산티아고 데 콤포스텔라에 순례를 다녀온 뒤부터 나는 성 요셉 축일인 3월 19일이면 그를 기념하는 파티를 연다. 나는 친구들과 건실히 사는 이들을 초대하고, 저녁을 먹기 전에 함께 기도를 드린다. 자신이 하는 일에 긍지를 잃지 않으려 애쓰는 이들과, 일자리를 얻지 못해 미래가 불투명한 이들을 위해.

기도에 앞서 나는 사람들에게 짧은 이야기를 하나 들려준다. 신약성서에 '꿈'이라는 말이 다섯 번밖에 나오지 않는데, 그 다섯 번 중 네 번은 목수 요셉과 관련해서 등장한다. 천사는 매번 요셉에게 그가 원래 하려던 바와 정반대로 행동하라고 설득했다. 심지어 누구의 씨인지도 모르는 아이를 가진 아내를 떠나지 말라고까지 했다. '이웃사람들이 뭐라고 하겠습니까?' 요셉은 이렇게 대꾸할 수도 있었겠지만 그냥 집으로 돌아갔고, 천사의 말이 그대로 이루어지리라 믿었다.

그리고 천사는 요셉을 이집트로 보냈다. '나는 나사렛에 자리 잡은 목수이고 내 단골도 다 여기 있습니다. 그런데 이 모든 것을 버리고 떠나란 말입니까?' 그때도 요셉은 이렇게 반문할 수 있었을 테지만 짐을 꾸려 낯선 땅으로 떠났다.

천사가 다시 고향으로 돌아가라고 했을 때도 그는 이렇게 생각했을지도 모른다. '이제 겨우 자리 잡아 살 만해졌고, 부양할 식구들도 있는 처지에 나더러 뭘 어쩌라는 거지?'

요셉의 꿈 이야기는 세간의 눈으로는 이해할 수 없는 것이었다. 그러나 그는 자신의 꿈을 좇았다. 그는 자신 역시 세상 남자들이 진 의무, 가족을 지키고 부양하는 의무를 져야 한다는 걸 알고 있었다. 수많은 익명의 요셉들처럼, 그는 사명을 완수하려 노력했다. 비록 그것이 자신이 이해할 수 있는 한계를 넘어서는 일이라 하더라도.

훗날 그의 아내와 아들은 기독교의 모퉁잇돌이 되었다. 가족의 세 번째 기둥이었으며, 목공 기술자였고, 아들을 키운 아버지는 성탄절 마구간 장면에서나 기억될 뿐이다. 그도 아니면, 그를 특별히 기리는 몇몇 사람들의 기억 속에서나 살아 있을 뿐. 나나, 목수에 관한 책을 저술해 내가 서문을 써줬던 작가 레오나르도 보프 같은 사람들 말이다.

인터넷에서 우연히 찾은 카를로스 에이토르 코니*의 아름다운 글

* 브라질 작가, 언론인. 60년대 브라질 군사정부에 대항해 싸운 좌파 지식인.

을 여기에 인용한다.

사람들은 내가 불가지론자이고, 철학적으로든 윤리적으로든 혹은 종교적으로든 신의 존재를 거부하지만, 몇몇의 가톨릭 성인들만큼은 숭배한다고 하면 깜짝 놀란다. 신이라는 개념이나 존재는 너무나 멀어, 그분을 필요로 하거나 혹은 소망조차 가지기도 힘들다. 반면 신께서 똑같이 진흙으로 빚은 형상이라는 점에서 성인들과 나는 크게 다르지 않다. 그런 이유로 나는 그들에게 찬미와 사랑을 바치는 것이다.

성 요셉도 내 찬미와 사랑을 받는 성인들 중 하나다. 그러나 복음서에는 그가 한 말이 한 마디도 나오지 않고, 그를 직접 묘사한 것이라고는 이 말뿐이다. '의로운 사람(vir justus)'. 그러나 요셉의 직업은 판사가 아닌 목수였으므로, 무엇보다도 그가 선한 사람이었으리라고 추측해볼 수 있다. 요셉은 솜씨 좋은 목수, 선량한 남편, 그리고 이 세상을 그가 태어나기 이전과 이후로 나누게 한 한 소년의 자상한 아버지였다.

종종 나는 '예수는 깨달음을 얻기 위해 히말라야의 선사들을 찾아 인도로 갔었다'는 시답잖은 이야기를 읽을 때도 있다. 나는 누구든 성스러움을 불어넣음으로써 자기 삶에 주어진 사명을 변화시킬 수 있다고 믿는다. 예수가 의로운 사람 요셉에게서 식탁과 의자, 침대 만드는 법을 배우며 깨달음을 얻었으리라는 것도.

나는 이런 상상을 즐긴다. 예수가 빵과 포도주의 성찬식을 거행한 식탁은 아버지 요셉이 만든 것일 거라고. 그 식탁은 이마에서 흐르는 땀으로 삶을 꾸려가는, 그런 노력으로 기적을 가능케 한 한 이름 없는 목수의 작품이었을 테니까.

선방 고양이의 가르침

광기에 관한 소설 『베로니카, 죽기로 결심하다』를 쓸 때 나는 우리가 하는 일 중 정말로 필요한 일이 얼마나 될까, 스스로에게 질문을 던져야 했다. 이 세상엔 터무니없는 일들이 얼마나 많은가? 왜 우리는 넥타이를 매는가? 시곗바늘은 왜 오른쪽으로 돌아가는가? 십진법을 쓰는데, 왜 하루는 스물네 시간이고 한 시간은 육십 분인가?

실제로 우리가 따르는 규칙 중에는 오늘날에 와서는 별 의미 없는 것들이 많다. 그럼에도 좀 다르게 행동한다 싶으면 대번 '미쳤다'느니 '철이 덜 들었다'느니 하는 소리를 듣는다.

이런 사고방식이 존속하는 한, 사회는 계속 불필요한 제도를 만들어내고 규칙을 통용시킬 것이다. 이런 내 생각을 잘 담은 재미있는 일본의 고사가 있어 소개한다.

어느 선원의 방장이자 선불교의 대가인 고승에게 고양이 한 마리가 있었다. 그는 고양이를 얼마나 애지중지했던지 참선 시간에도 항상 함께할 정도였다.

어느 날 아침, 늙은 고승은 세상을 떠나고 선방의 최고참인 상좌가 그의 자리를 이어받았다.

"고양이는 어떻게 하면 좋을까요?"

수좌들이 묻자 새 방장은 스승을 기리는 뜻에서 참선 시간에 고양이를 들여보내도 좋다고 허락했다. 만행길에 오른 수좌 몇몇이 이 유서 깊은 사찰에서 선방에 고양이를 들이는 모습을 목도했고, 그에 관한 이야기가 퍼지기 시작했다.

수년이 흘렀다. 선사의 고양이는 죽었지만 고양이에 길든 수좌들은 다른 고양이를 들였다. 그사이 다른 절들도 고양이와 함께 참선 수행을 하게 되었다. 그들은 고승의 명성과 가르침의 비결이 고양이에 있다고 믿으며, 정작 입적한 고승이 얼마나 훌륭한 스승이었는가는 까맣게 잊어버리고 말았다.

한 세대가 지나고, 선불교에서 고양이가 참선에 얼마나 중요한 존재인지에 대한 지침서가 출간되기에 이르렀다. '고양이는 집중력을 높여주고 삿된 기운을 물리친다'는, 학계에 퍼져 있던 가설을 발전시킨 어느 대학교수의 연구 결과였다. 그렇게 한 세기에 걸쳐 고양이는 이 지역 선불교 연구에서 핵심적인 일부분을 차지하게 되었다.

그리고 선원에 다른 지역에서 온 이름 높은 선사가 들어왔다. 선사는 동물 털에 알레르기가 있어 일과 수행에 고양이를 참여시키지 못하게 했다. 수좌들은 거세게 반발했지만, 선사는 고집을 굽히지 않았다. 선사의 가르침이 뛰어났던지라 고양이 없이도 수좌들의 수행은 날로 진전을 보였다.

그러자 서서히 다른 선방에서도 고양이들을 내보내게 되었다. 언제나 새로운 사상을 추구해온데다 고양이들을 거두어 먹이는 걱정까지 덜어버리게 되니 참으로 잘된 일이었다. 그리고 그로부터 이십 년 후, 혁신적인 새 가설들이 등장했다. 그 가설들은 다음과 같은 그럴듯한 제목을 달고 있었다. '고양이 없는 참선의 중요성' '동물의 도움 없이 정신력으로 선의 세계에서 평정을 찾는 법'.

다시 한 세기가 흐르고, 고양이는 그 지역 참선 수행에서 완전히 자취를 감추었다. 그렇게 제자리로 돌아오는 데는 이백여 년이 걸렸다. 고양이가 왜 참선 수행에 함께해야 하는지 아무도 묻지 않았기 때문이었다.

살아가면서 '나는 왜 이러저러하게 행동할까?'라고 질문할 수 있는 자는 과연 얼마나 될까? 우리 역시 이런 사실을 잘 알고 있음에도, 별 탈 없이 흘러가려면 '고양이'가 중요하다는 말을 늘 들어왔기 때문에, 불필요한 '고양이'를 제거할 용기를 내지 못하고 있는 건 아닐까?

왜 우리는 다른 방식으로 행동해보려고 하지 않는 걸까?

들어갈 수 없습니다

스페인 올리테 시 근교에 있는 고성을 방문했을 때의 일이다. 성 앞에 서 있던 수위가 나를 막아서며 말했다.

"들어가실 수 없습니다."

나는 직감으로 그가 순전히 나를 골리려 한다는 걸 느꼈다. 나는 멀리서 왔다고 구구절절 설명하고, 수고비를 쥐여주며 할 수 있는 한 친절하게 굴려고 애쓰기도 하고, 그깟 낡은 성 갖고 뭘 그렇게 유세를 떠느냐고 꼬집어보기도 했다. 그러는 동안 고성에 들어가는 것이 내겐 퍽 중요한 일이 되어버렸다.

"들어가실 수 없습니다."

수위가 다시 말했다.

그렇다면 방법은 오직 하나였다. 그냥 전진하면서 그가 과연 나를 물리적으로 막아서는지를 두고보는 수밖에.

나는 문을 향해 돌진했다. 그런데, 수위는 나를 한번 쓱 쳐다보고는 그만이었다.

내가 성에서 나오는데 두 명의 관광객이 성 쪽으로 다가오고 있는 게 보였다. 늙은 수위는 그들을 막지 않았다. 그는 내 행동 덕에 쓸모없는 규칙을 포기한 듯 보였다.

때때로 세상은 우리에게 요구한다. 우리가 이해할 수 없는 것들, 그 취지라는 게 절대 존재하지 않는 것들에 대항해 싸우라고.

새 천년을 위한 법률

1. 모든 사람은 각기 다르며, 그것을 지키기 위해 할 수 있는 바를 행해야 한다.

2. 누구에게나 두 가지 방법이 있다. 행동과 사유가 그것이다. 행동과 사유는 우리를 같은 곳으로 이끈다.

3. 누구나 두 가지 자질을 가지고 있다. 힘과 재능이 그것이다. 힘은 우리가 운명과 조우하도록 이끌어주고, 재능은 우리가 가진 가장 좋은 것을 타인과 나누게 한다.

4. 사람은 누구나 선택의 능력을 가지고 태어난다. 하지만 이 능력을 제대로 활용하지 못하면 화를 불러오고, 선택의 기회는 타인에게 넘어간다.

5. 모든 사람은 성적 정체성을 지닌다. 타인에게 자신의 성적 정체성을 강요하지 않는 한, 죄의식 없이 자신의 정체성을 충분히 누릴 수 있어야 한다.

6. 누구에게나 이뤄내야 할 자아의 신화가 있고, 그것이 우리가 이 세상에 존재하는 이유이다. 자아의 신화는 그것을 이루고자 하는 열정을 통해 구현된다.

7. 신화의 실현을 잠시 포기할 수도 있다. 그러나 그것을 완전히 잊어서는 안 된다. 잠시 그 길에서 벗어나더라도 가능한 한 빨리 돌아가야 한다.

8. 모든 남성에겐 여성적인 면이, 모든 여성에겐 남성적인 면이 있다. 원칙을 직관적으로 활용하고, 직관을 객관적으로 활용할 필요가 있다.

9. 모든 이들은 두 가지 언어를 숙지해야 한다. 사회의 언어와 표지의 언어가 그것이다. 하나는 타인과 소통하기 위한 것이고, 다른 하나는 신의 말씀을 이해하기 위한 것이다.

10. 모든 사람에게는 행복을 추구할 권리가 있다. '행복'이란 나 자신이 충만함을 느끼게 하는 것이지, 꼭 타인이 만족을 느끼게 하는 것일 필요는 없다.

11. 모든 사람은 마음속에 광기의 성스러운 불씨를 지니되, 행동은 평범한 사람처럼 해야 한다.

12. 다만 다음 행동들은 심각한 과오가 될 수 있다. 타인의 권리를 존중하지 않는 것. 두려움 때문에 주저하는 것. 양심의 가책에 시달릴 행동을 하는 것. 남들에겐 좋은 일만 일어나는데 자신에게는 나쁜 일만 일어난다고 믿는 것. 비겁한 모습을 보이는 것.

적을 사랑해야 한다. 하지만 그렇다고 적의 행동에 동참해서는 안 된다. 그들은 우리의 검을 시험하기 위해 우리 앞을 막아서는 자들이다. 그들을 존중해서라도 주저 없이 대항해 싸워야 한다.

누가 적인지는 우리 스스로가 정한다.

13. 모든 종교는 우리를 같은 신에게로 인도한다. 그리고 모든 종교는 똑같이, 거룩하다.

종교를 선택할 때는 신을 경배하고 그 신비를 나누는 방식도 스스로 선택한다. 그러나 삶을 살아가면서 자신의 행동에 대해 책임지는 것은 그 자신이어야 한다. 그는 자신의 결정에 대한 책임을 종교에 미룰 권리가 없다.

14. 이로써 우리는 성과 속을 구분하지 않는다. 이제부터는, 모든 것이 성스럽다.

15. 현재의 모든 행동과 사건은 '결과'라는 형태로 미래에 영향을 미치며, '반성'이라는 형태로 과거에 영향을 미친다.

16. 이와 반대되는 모든 것은 무효다.

허물고
다시 짓기

시마 반도에 있는 이세 신궁에 초대받았을 때의 이야기다. 신궁에 도착한 나는 어리둥절했다. 멋진 건물이 숲 한가운데 자리 잡고 있었는데 바로 옆은 황무지였다.

저 땅은 뭐냐고 물었더니 대답이 이랬다.

"우리가 다음 건물을 지을 땅입니다. 이십 년마다 한 번씩 우리는 지어놓은 건물을 허물고 그 옆에 새로 건물을 짓지요. 그럼으로써 목수, 미장이, 설계 기술을 가진 이들이 기술을 연마하고 전수할 기회를 얻는 겁니다. 동시에 이 세상에 영원한 것은 없다는 진리를 보여주지요. 건물도 끊임없이 개량할 필요가 있고요."

기도하라,
모든 것이 헛될지라도

헨리 제임스는 경험을 의식의 방에 걸려 있는 거대한 거미줄에 비유한 바 있다. 필요한 것만 걸리는 게 아니고 공기중의 먼지처럼 미세한 것들까지 다 걸린다는 점에서 그렇다는 것이다.

우리가 '경험'이라 부르는 것들은 실패의 합계일 때가 많다. 그렇기 때문에 우리는 이미 너무나 많은 실수를 저지른 듯 두려움에 가득 차 다음 단계로 발을 내디딜 용기를 내지 못한다.

그럴 때마다 솔즈베리 경의 말을 기억하자. '의사들 말만 믿으면 위생적인 게 없고, 신학자들 말만 믿으면 죄 아닌 게 없으며, 군인들 말만 믿으면 안전한 곳은 없다.'

자기 안의 열정을 받아들이고 그 결과에 감동하는 마음을 잃지 않는 것이 중요하다. 열정은 삶을 이루는 한 부분이고, 그것을 느끼는 모든 사람에게 기쁨을 준다. 빛의 전사는 오래 지속되는 것, 오랜 세월을 통해 쌓아온 관계를 결코 소홀히 하지 않는다. 그는 한시적인 것과 영원한 것을 구별할 줄 안다.

그러나 돌연 열정이 사라지는 순간이 오기도 한다. 그러하리라는 것을 익히 알고 있음에도, 빛의 전사는 절망에 빠져든다. 시시각각 그의 믿음은 변질되고, 일은 그가 꿈꾸던 대로 돌아가지 않는다. 부당하고 예기치 못한 상황 때문에 비극이 일어나고, 그는 자신의 기도가 충분치 않았다고 느끼기 시작한다. 그래서 부단히 기도하고 예배에 참석하지만, 자신을 속일 수는 없다. 마음은 전처럼 반응하지 않고 말들은 공허하다.

그렇다면 이제 남은 길은 한 가지다. 계속 기도하라. 의무감에서든 두려움에서든, 그 어떤 이유로도 상관없다. 그저 계속, 기도하라. 모든 것이 헛되어 보이더라도 기도하라.

우리의 말을 수신하고 믿음의 기쁨을 관장하는 천사가 잠시 소풍을 간 것뿐이다. 그러나 천사는 곧 돌아올 것이고, 그가 우리를 찾아내려면 늘 입술에 기도나 간청의 말을 올리고 있어야 한다.

이런 이야기가 전해내려온다. 피에트라 수도원의 긴 아침기도가 끝난 후 풋내기 수사가 수도원장에게 물었다.

"기도를 통해 인간 존재가 신에게 가까워질 수 있습니까?"

"답하는 대신 하나 묻겠다." 수도원장이 말했다. "네 간절한 기도가 내일 아침 해를 뜨게 하겠느냐?"

"그럴 리가 없잖습니까. 해가 뜨는 건 우주의 섭리니까요."

"그 말 속에 네 질문에 대한 답이 들어 있다. 신께서는 항상 우리 가까이에 계신다. 얼마나 많이 기도하는가와는 상관없이."

풋내기 수사는 충격을 받았다.

"말씀인즉, 우리의 기도가 쓸모없다는 겁니까?"

"절대 그런 말이 아니다. 일찍 일어나지 않으면 해돋이를 볼 수 없듯, 신께서 늘 우리 곁에 계셔도 기도를 하지 않으면 느낄 수가 없는 것이다."

지켜보고 기도하는 것. 빛의 전사가 늘 명심해야 할 사항이다. 그러나 지켜보기만 하면 존재하지도 않는 헛것을 보게 되고, 기도만 하고 있으면 온 세상이 필요로 하는 사명을 완수할 시간이 없다.

『베르바 세니오룸』*에는 이런 이야기가 나온다.

수도원장 요한이 기도를 통해 근심과 번뇌에서 벗어났다는 소문이 돌았다. 그 소문은 스케티스의 현자의 귀에까지 들어가게 되었다. 저녁식사 후 현자는 형제들을 불러모으고 이야기했다.

"들었느냐, 수도원장 요한이 모든 세속의 유혹으로부터 자유로워졌다고 한다.

투쟁할 상대가 없으면 영혼도 약해지는 법. 그러니 우리 모두 수도원장에게 강한 유혹을 내려주십사 신께 기도하자. 그가 유혹을 물리치면, 더 큰 유혹을 보내달라고 기도하자. 그가 그 유혹을 또다시 이겨내면, 그의 입에서 이런 말이 나오지 않게 해달라고 기도하자. '주여, 제게서 사탄을 물리쳐주소서.' 대신 그가 주께 이렇게 청하기를 기도하자. '주여 제게 악을 물리칠 힘을 주소서'라고."

---

* AD 3~5세기에 깨달음을 찾아 이집트 사막으로 들어가 신 앞에 홀로 단독자의 삶을 살기로 결심한 사막 교부들의 수행과 깨달음을 담은 지혜의 보고. 국내 출간 제목은 『깨달음』(규장).

길을 여는 열쇠

마이애미 항구에서 함께 바다를 바라보던 친구가 말했다.

"가끔 사람들은 영화에서 본 것만을 기억하고 실제가 어땠는지를 잊어버리지. 영화 〈십계〉 기억하나?"

"그럼. 모세 역을 맡은 찰턴 헤스턴이 지팡이를 들자 바닷물이 쩍 갈라졌고, 이스라엘 민족이 홍해를 건넜잖아."

"성서에서는 그와 달라." 친구가 말했다. "성서에 따르면 신이 모세에게 이렇게 명령했어. '이스라엘의 자녀들에게 말하라, 앞으로 나아가라고.' 그들이 움직이기 시작하고 나서야 모세는 지팡이를 들었지. 홍해가 갈라진 건 그다음이야. 결국, 길을 갈 용기가 있는 자에게만 길이 열리는 법이지."

사명

코파카바나 그리스도 부활교회의 제카 신부가 들려준 이야기이다.

그가 버스를 타고 가는데 느닷없이 어떤 목소리가 들려왔다. 목소리가 말했다. 자리에서 일어나 주의 말씀을 전하라고.

신부는 내면의 음성과 대화를 나누기 시작했다.

'사람들이 꼴불견이라고 할 게 뻔합니다. 버스는 설교할 장소가 아니라고요.'

그러나 목소리는 멈추지 않았다.

'창피하니 제발 말씀을 거둬주십시오.'

그는 애원했다.

그러나 마음속 충동은 가라앉지 않았다.

그는 자신의 모든 것을 그리스도에게 바치기로 했던 지난날의 약속을 떠올렸다. 창피해 죽을 지경이었지만, 그는 자리에서 일어나 복음을 설파하기 시작했다. 승객들은 잠자코 그의 말을 들었다. 그는 돌아가며 승객들의 눈과 마주했지만 눈길을 피하는 사람은 거의 없었다. 그는 가슴속에서 우러나오는 모든 것을 쏟아내고 자리에 앉았다.

오늘까지도 그는, 그 순간 자신에게 주어진 사명이 대체 무엇이었는지 알지 못한다. 그러나 그는 분명히 확신한다. 자신이 그것을 완수했다는 것을.

보이지 않는 책

시크 트란시트 글로리아 문디(Sic transit gloria mundi).

사도서간에서 사도 바울은 인간의 처지를 이렇게 정의했다. '세속의 영광은 덧없다'고. 그러나 사람들은 덧없음을 알면서도 자신의 업적을 인정받고 싶어한다. 왜일까? 브라질의 유명한 시인 비니시우스 지 모라이스의 시에 이런 구절이 있다.

그럼에도 우리는 노래해야만 하네
그 어느 때보다 더, 노래해야만 하네

근사하지 않은가. 이 시는 미국의 작가 거트루드 스타인의 다음과 같은 시 구절을 떠올리게 한다. '장미는 장미는 장미는 장미.' 그렇게 모라이스는 우리가 단지 노래하기만 하면 된다고 말한다. 그는 어떤 설명도, 정당화도, 은유도 사용하지 않는다.

브라질 문학아카데미 원장에 취임하자마자 나는 제일 처음 회원들을 하나하나 방문했다. 그때 호수에 몬텔루라는 회원이 내게 다음과 같은 말을 했다.

"모든 사람에게는 자기가 사는 마을을 지나는 길을 따라가야 할 의무가 있습니다."

어째서일까? 그래서, 그 길에서 우리가 찾게 되는 것은 무엇일까?

익숙한 안락함을 떨치고 도전에 응하도록 우리를 충동질하는 이 힘은 무엇일까? 지상에서의 삶이 덧없다는 걸 우리는 잘 알고 있는데도 말이다. 그러나, 나는 이런 충동 덕분에 우리가 삶의 의미를 좇게 된다고 확신한다.

오랜 세월 동안 나는 그 질문에 대한 궁극적인 답을 찾아왔다. 책을 읽고, 예술과 학문을 탐구하고, 험한 길이든 편한 길이든 내가 발디딘 곳이라면 어디에서건 그 답을 구했다. 그리고 많은 답을 찾아냈다. 어떤 것은 몇 년이 흘러도 유효했고, 어떤 것은 단 하루도 넘기지 못했다. 그럼에도 지금까지 이보다 더 강렬한 답을 찾은 적은 없다.

'그것이야말로 바로 삶의 의미다.'

이제 나는 우리 삶에 궁극적 답은 존재하지 않는다고 믿는다. 창조주 앞에 다시 서는 날, 우리가 잡거나 놓친 기회들을 깨닫게 된다 하더라도 마찬가지리라.

1890년의 한 설교에서 목회자 헨리 드루먼드는 창조주와의 만남에 대해 다음과 같이 묘사했다.

그 순간 인간 존재가 당면하는 가장 큰 질문은 '얼마나 열심히 믿었는가'가 아니라 '얼마나 사랑했는가'입니다. 종교의 궁극적 질문은 종교에 관한 것이 아니라 사랑에 관한 것입니다. 내가 무엇을 했느냐, 무엇을 믿었느냐, 무엇을 성취했느냐가 아니라, 살아가면서 얼마나 사랑에 인색했느냐는 것입니다. 저지른 죄에 대해서는 추궁당하지 않습니다. 심판의 자리에서 헤아리는 것은 우리가 행한 잘못이 아니라, 행하지 않은 선(善)입니다. 어찌 그러지 않을 수 있을까요. 사랑을 내 안에만 가두어두는 것은 그리스도의 영혼을 부정한 것이고, 우리가 진정 그를 알지 못했고, 그가 우리에게 베푼 사랑이 무의미했다는 증거이기 때문입니다.

지상에서의 영광은 덧없다. 그것은 우리 삶의 척도가 될 수 없다. 우리의 삶은 자아의 신화를 이룰 것인지, 자신의 유토피아를 믿고 그것을 위해 싸울 수 있는지에 의해 좌우될 뿐이다. 우리는 모두 삶의 주인공이다. 또한, 가장 오래갈 발자취를 남기는 이들은 때때로 익명의 영웅들이기도 하다.

『도덕경』을 읽고 깊이 감동한 한 일본 승려가 그 책을 일본어로 번역 출간하겠다는 원력(願力)을 세웠다. 그가 『도덕경』을 번역하고 인쇄하는 데 필요한 돈을 모으기까지는 꼬박 십여 년이 걸렸다. 그런데 그 무렵, 나라에 역병이 창궐했다. 승려는 모은 돈을 병에 걸려 고생하는 사람들에게 쓰고 다시 돈을 모으기 시작했다. 다시 십 년 후 책을 인쇄하려고 하자, 이번에는 지진이 일어나 오갈 데 없는 사람들이 도처에 생겨났다. 승려는 집 잃은 사람들이 다시 집을 지을 수 있도록 돈을 기부했다. 그리고 그는 다시 십 년 동안 돈을 모아 원력을 이루었고, 드디어 일본인들은 『도덕경』을 읽을 수 있게 되었다.

현자들은 말한다. 그 승려는 『도덕경』을 세 권 펴냈다고. 두 권은 보이지 않는 책이고, 한 권은 보이는 책이다. 그는 자신의 유토피아를 믿었고, 선한 싸움을 계속했고, 목표를 향한 신념을 잃지 않았고, 그러면서도 주위 사람들을 잊지 않았다. 이 이야기는 우리가 추구해야 할 바를 잘 보여준다. 가끔은 보이지 않는 책, 타인을 향한 관용으로 이루어진 책이 서재에 꽂혀 있는 그 어느 책보다도 중요하다.

내가 가진 것은 무엇인가

얼마 전 아내가 이파네마에서 소매치기를 당했다는 한 스위스 관광객을 도왔다. 아내의 말로는 그가 억양이 강하고 알아듣기 힘든 포르투갈어로 여권도, 돈도, 묵을 곳도 없다고 하소연하더라고 했다. 아내는 그에게 먹을 것을 사주고 호텔에 묵을 수 있도록 돈을 주며 대사관으로 가보라고 조언해주고는 헤어졌다.

며칠 후, 리우데자네이루 신문에 이 '스위스 관광객'에 관한 기사가 실렸다. 알고 보니 그자는 일부러 괴상한 억양으로 말하며 선량한 사람들을 등쳐먹는 사기꾼이었다. 피해자 중에는 리우데자네이루를 사랑하고 도시의 나쁜 이미지를 지우려고 애쓰는—그것이 이치에 맞든 안 맞든 간에—우리 같은 사람들도 포함되어 있었다.

그러나 아내는 기사를 읽고 아무렇지 않은 듯 말했다.

"그렇다고 어려움에 처한 사람을 보고 그냥 지나칠 수는 없잖아요."

그녀의 말을 듣고 이야기 하나가 떠올랐다.

아크바에 현자가 나타났다. 그러나 아무도 현자를 눈여겨보지 않았고, 그의 가르침을 진지하게 듣는 사람도 없었다. 결국 그는 사람들의 웃음거리가 되었다.

어느 날 그가 대로를 따라 걷는데 한 무리의 남녀가 뒤따르며 그에게 모욕의 말을 퍼부었다. 그는 모른 체하지 않고 돌아서서 그들을 축복했다.

그들 중 한 남자가 말했다.

"당신 귀머거리요? 이렇게 욕지거리를 쏟아붓는 우리를 축복해주다니!"

"누구나 자신이 가진 것만 줄 수 있는 법이지요."

현자의 대답이었다.

마녀사냥과 인간이 지닌 미지의 능력

2004년 10월 31일, 스코틀랜드의 프레스턴판스라는 소도시에서 옛 중세법 폐지를 한 달 앞두고 그 뜻을 기리는 의미로 여든한 명의 주민들과 그들의 고양이들에 대한 공식 사면령을 내렸다. 사면대상은 16세기부터 17세기에 걸쳐 마녀사냥으로 처형된 사람들이었다.

프레스턴그레인지와 돌핀스턴 장원(莊園) 재판소의 공식대변인의 말에 따르면 "그들은 대부분 구체적인 물증 없이, 악령의 존재를 느꼈다거나 귀신의 목소리를 들었다는 해괴한 증언만으로 유죄판결을 받았다."

증오와 복수를 토양 삼아 가혹한 고문을 일삼고 화형식을 거행한 옛 종교재판소들의 과도한 월권행위를 이제 다시 거론하는 것은 무의미하다. 그러나 이 소식에는 뭔가 석연치 않은 구석이 있었다.

마을과 프레스턴그레인지와 돌핀스턴의 14대 영주는 무참히 죽어간 주민들을 사면했다. 우리는 21세기에 살고 있다. 그런데, 그 무고 한 사람들을 죽인 진짜 범죄자의 후손들에게 아직도 누군가를 '사면하거나 은혜를 베풀' 권리가 있는가.

우리 시대에 새로운 마녀사냥이 벌어지려고 한다. 벌겋게 불에 달군 쇠꼬챙이 같은 고문도구가 아니라 '모순'이나 '억압' 같은 형태를 빌려서. 어느 날 갑자기 누군가가 자신의 숨겨진 능력을 발현해 그것을 입밖에 내게 되면, 그때부터 그는 사람들에게 불신을 받게 된다. 부모든 남편이든 아내든, 그의 가족은 그런 일을 입도 뻥긋 못 하게 그들을 단속한다. 나는 어릴 적부터 '비학(秘學)'이라 불리는 것들에 관심을 가져온 터라 그런 사람들을 수없이 만나보았다.

물론, 돌팔이들에게 넘어간 일도 부지기수였다. 소위 '선생'이라는 자들에게 부질없이 시간과 열정을 바치기도 했다. 그러나, 그들은 머지않아 가면을 벗고 빈껍데기뿐인 실체를 드러내곤 했다. 무책임하게도 이단에 들어가 큰 대가를 치르고 그들의 종교의식에 참여한 적도 있다. 하지만 나는 그것을 삶의 신비에 관한 답을 구하려는 자연스럽고도 인간적인 모색이라고 믿었다.

초능력을 가진 사람들도 많이 만났다. 날씨를 변화시키거나 마취 없이 수술하는 장면도 보았다. (인간이 지닌 미지의 능력에 대해 큰 회의가 들었던 어느 날 아침) 녹슨 주머니칼로 몸을 자르고 그 절개 부위에 내 손가락을 집어넣어본 적도 있다. 믿고 싶으면 믿어도 좋고, 그냥 비웃어도 좋다. 나는 금속이 변하는 것도 보았고, 내 두 눈으로 스푼이 저절로 구부러지는 것을 보았고, (누군가 그저 그렇게 되라고 하자마자) 내 주위로 빛이 모여드는 것을 보았다. 이런 자리에는 언제나 증인들이 참석한다. 그들은 대개 의심을 버리지 못하고,

여전히 모든 것이 말짱 '속임수'라고 여긴다. '귀신들린 짓거리'라고 하는 사람도 있다. 아주 소수의 사람들만이 인간의 상상을 초월하는 현상을 체험했다고 인정한다.

나는 이런 현상을 브라질, 프랑스, 영국, 스위스, 모로코, 일본에서 목격할 수 있었다. 소위 '불변의' 자연법칙과 상충하는 사람들에게 보통 어떤 일이 일어날까? 사회는 그들을 주변현상으로 간주한다. 분석이 불가능한 것은 존재하지 않는 것이라고 결론지으면서. 그들 대부분은 자신이 무슨 수로 그런 놀라운 능력을 갖게 되었는지 스스로도 이해하지 못한다. 그리고 협잡꾼이라는 낙인이 찍힐까 두려워 자신의 재능을 억누른다.

그들 중 누구도 행복하지 않다. 그들은 모두 사람들이 그것을 진지하게 받아들일 날이 오기를 고대한다. (개인적으로는 이것이 적합한 방법이라고 생각지 않지만) 그들의 힘에 대한 학문적 설명을 기대한다. 많은 이들이 자신들의 잠재력을 억누르고, 세상에 유효할 수도 있는 능력을 감추고만 있어야 하는 현실을 고통스러워한다. 근본적으로 보기에, 그들 역시 그들의 '차이'에 대한 '공식적 사면'을 기다리고 있는 것이다.

밀에서 쭉정이를 솎아내고, 세상의 무수한 돌팔이들 때문에 좌절하지 않도록 애쓰며, 우리는 스스로에게 질문을 던져야 한다. 과연 우리가 할 수 있는 것은 무엇일까?

침착하게 우리 스스로가 지닌 잠재력을 발굴하러 나서보자.

나만의 리듬으로

"산티아고 길에 대한 당신 이야기에는 무언가 빠져 있어요."

마드리드의 카사 데 갈리시아에서 막 강연을 마치고 자리를 뜨는데 한 순례자가 말했다.

당연히 빠진 부분이 있을 것이다. 내 의도는 내 경험 중 몇 가지만을 청중과 나누려는 것이었으니까. 그럼에도 나는 그녀가 빠졌다고 생각하는 게 무엇인지 궁금해 커피를 한잔 하자고 권했다.

베고냐라는 이름을 가진 그녀가 말했다.

"저는 많은 순례자들이 산티아고의 길에서건 삶의 여정에서건 항상 타인의 리듬에 맞추려 한다는 걸 알게 되었어요. 순례를 시작하며 저 역시 일행에 보조를 맞추려고 노력했죠. 하지만 제 몸이 할 수 있는 것보다 더 많은 걸 요구하게 되니 곧 지쳤어요. 언제나 팽팽하게 긴장했고, 그래서 왼쪽 발목 인대가 늘어났죠. 결국 저는 이틀도 못 걷고 도리 없이 쉬게 되었답니다. 쉬는 동안 생각했어요. 나 자신의 리듬을 따라야 산티아고에 이를 수 있겠구나. 당연히 제 여정은 다른 사람들보다 더 오래 걸렸고, 많은 구역을 저 혼자 가야 했어요. 그래도 한 가지는 확실했죠. 저만의 리듬을 존중함으로써 여정을 다할 수 있다는 것. 그때부터였어요, 이 깨달음이 제 삶의 모든 일에 적용된 것은. 저는 이제 저만의 리듬을 중시하며 살게 되었답니다."

다르게 여행하기

철들기 전부터 나는 최고의 배움은 여행에서 얻어진다는 것을 깨달았다. 그리고 오늘날까지 나는 순례자의 영혼을 간직하고 있다. 여기 나와 같은 순례자들에게 도움이 되기를 바라며, 내가 얻은 여행에 관한 몇 가지 교훈을 나누고자 한다.

박물관을 피한다

이상한 충고처럼 들릴지 모르지만, 잠시만 생각해보자. 당신이 낯선 도시에 있다면, 그 도시의 과거보다 현재가 더 흥미진진하지 않겠는가? 사람들은 박물관에 가는 걸 의무처럼 여긴다. 어려서부터 여행이란 그런 문화를 찾아다니는 것이라고 배워왔기 때문이다. 당연히 박물관은 중요하다. 그러나 박물관에 가려면 우선 충분한 시간과 분명한 목표가 있어야 한다. 자신이 보고 싶은 것이 무엇인지 알지 못하면, 무언가 기본적으로 봐야 할 것은 봤는데 무엇인지 모르겠다는 느낌을 안고 그곳을 나서게 될 것이다.

술집에 간다

술집에 가면 그 도시의 삶이 보인다. 여기서 내가 말하는 술집이란 디스코텍이 아니라 오순도순 술잔을 기울이며 신과 세상에 대해 대화하고, 부담 없이 이야기를 주고받을 만한 분위기가 있는 곳이다. 신문을 사들고 한자리에 앉아 그저 오가는 사람들을 바라보자. 누군가 말을 붙이면 별로 중요하지 않은 것 같은 내용이라도 응하자. 문을 통해 보는 것만으로는 길의 아름다움을 판단할 수 없다.

마음을 열자

최고의 여행 가이드는 현지에 사는 사람들이다. 그들은 도시를 구석구석 알고 자신이 사는 곳에 자부심을 느끼며, 여행사를 위해 일하지 않는다. 거리로 나가 우리가 얘기하고픈 사람을 고르고, 그에게 길을 묻자. 교회는 어딥니까? 우체국은 어딘가요? 첫번째에 안 되면 두번째 사람에게 묻자. 해가 저물기 전에 멋진 안내자를 만날 것이다. 장담한다.

여행은 혼자서 가되, 결혼한 사람이라면 배우자와 간다

그래야만 정말 그 나라를 알 수 있다. 단체로 몰려다니는 여행은 다른 나라까지 가서 여행하는 시늉을 한 것밖에 안 된다. 모국어를 사용하고, 인솔자가 하라는 것만 하고, 방문한 나라보다 함께 간 사람들의 이러쿵저러쿵 하는 얘기에 더 관심을 기울이게 된다.

비교하지 말자

물가도, 위생도, 삶의 질도, 교통수단도, 그 어느 것도 비교하지 마라! 여행의 목적은 타인보다 잘산다는 걸 입증하는 것이 아니다. 우리가 여행을 떠나는 것은, 다른 이들은 어떻게 사는지, 그들에게서 본받을 만한 것은 무엇인지, 그들이 현실과 삶의 비범함을 어떻게 조화시키며 사는지 배우는 것이다.

모두가 우리를 이해한다는 것을 이해하자

그 나라 말을 못 한다고 겁내지 말자. 나는 한마디도 소통할 수 없는 많은 나라들을 여행했지만, 결국 언제나 나를 도와주고, 안내해주고, 유용한 조언을 해주는 이들을 만나게 되었다. 심지어 여자친구를 사귀게 된 적도 있다. 어떤 이들은 혼자 여행을 하면 길을 잃고 영원히 미아가 될까봐 걱정한다. 하지만 호텔 명함이 주머니에 들어 있는지만 확인하면 된다. 만약 최악의 상황이 벌어지면, 택시를 세우고 운전사에게 그 명함을 보여주면 그만이다.

너무 많이 사지 말자

돈은 운반할 필요가 없는 것들에 쓰자. 좋은 공연을 위한 티켓, 근사한 식사를 할 수 있는 레스토랑, 피크닉 등등. 오늘날처럼 글로벌 경제와 인터넷이 지배하는 시대에는 비행기 초과수하료를 지불할 필요 없이도 무엇이든 살 수 있다.

한 달 안에 전세계를 다 보려고 하지 말자

나흘, 닷새씩 한 도시에 머무는 것이 일주일 안에 다섯 도시를 도는 것보다 낫다. 도시는 변덕스런 여자 같아서, 유혹당하고 그 모습을 드러내기까지는 시간이 걸린다.

여행은 모험이다

헨리 밀러는 말했다. 누구에게도 들어본 적 없는 교회를 발견하는 것이, 로마에서 수많은 관광객들이 떠들어대는 소리를 참으며 시스티나 성당을 관람해야 한다는 강박에 시달리는 것보다 훨씬 중요하다고. 어쨌든 시스티나 성당에 가자. 그리고 거리로 나서자. 골목길로 들어가 미지의 무언가를 탐색할 자유를 만끽하자. 우리가 마주칠 그 무언가가 분명 우리의 인생을 바꾸게 될 것이다.

세상에서 가장 아름다운 꽃

산티아고로 가는 길에서 만난 마리아 에밀리아 보스가 들려준 이야기다.

기원전 250년 무렵, 중국 어느 지역에 황제의 자리에 오를 왕자가 살았다. 그는 법률에 따라 즉위 전에 결혼식을 올려야 했다. 미래의 황후감이니만큼 마음을 터놓고 믿을 수 있는 사람이어야 했다. 그래서 왕자는 현자의 조언에 따라 인근 처녀들을 모두 불러모으라고 영을 내렸다.

한편 궁에서 오랜 세월 일해온 한 늙은 여인은 간택령 소식을 듣고 시름에 잠겼다. 딸이 왕자에게 남몰래 연정을 키워왔음을 아는 까닭이었다. 집에 돌아온 여인이 딸에게 그 소식을 전하자, 딸은 자기도 궁으로 가겠다는 것이 아닌가. 여인은 기겁을 했다.

"얘야, 거긴 뭐 하러 간다는 게냐? 내로라하는 집안의 어여쁜 규수들만 모일 거다. 그런 생각일랑 아예 하지 마라. 나도 안다, 네 마음이 얼마나 아픈지는. 하지만 그렇다고 그런 미치광이 짓을 해서는 안 되는 게야."

딸이 대답했다.

"어머니, 전 괴롭지 않아요. 미친 건 더더구나 아니고요. 저도 알아요, 제가 뽑힐 일은 절대 없으리란 걸요. 하지만 그러면 잠깐만이라도 사랑하는 왕자님을 가까이서 뵐 수 있을 게 아니에요. 그거면 돼요, 제 운명이 거기까지라는 걸 깨닫게 된다 해도 말이에요."

처녀는 저녁이 다 되어서야 궁에 도착했다. 과연 미모를 뽐내는 아가씨들이 아름다운 옷과 값진 보석으로 한껏 치장한 채 모여들었다. 궁정 대신들에게 둘러싸인 왕자가 과제를 제시했다.

"그대들 모두에게 각자 씨앗 한 알씩을 주겠소. 그 씨앗으로 여섯 달 안에 가장 아름다운 꽃을 피워 가져오는 이가 장래 이 나라의 황후가 될 것이오."

처녀는 씨앗을 가져와 화분에 심었다. 그녀는 원예에 능숙하지 못했지만, 꽃의 아름다움이 자신이 품은 사랑의 크기를 말해줄 거라 굳게 믿으며 끈기를 가지고 화분에 정성을 쏟았다.

그러나 석 달이 지나도 씨앗은 싹이 트지 않았다. 처녀는 안 해본 일이 없었다. 정원사니 농부들에게 물으면 저마다 다른 방법을 가르쳐주었다. 그러나 그 어느 것도 소용이 없었다. 그래도 그녀의 사랑은 어느 때보다 무럭무럭 자라고 있었다.

결국 여섯 달이 지나도 화분에는 아무것도 자라지 않았다. 성과라고는 없었으나 그녀는 자신이 그동안 최선을 다했음을 알고 있었다. 처녀는 어머니에게 말했다. 정해진 시간에 궁으로 가겠노라고. 그녀는 그것이 인생에서 왕자를 대면할 마지막 기회라고 생각했다.

새로이 모인 자리에 처녀는 빈 화분을 들고 나타났다. 다른 후보자들은 저마다 멋진 꽃이 자란 화분을 들고 있었고, 그 꽃들은 어느 것 할 것 없이 모두 아름다웠다.

드디어 기다리던 순간이 다가왔다. 왕자가 들어와 아가씨들이 가져온 꽃을 하나씩 둘러본 후 결과를 발표했다. 왕자가 지목한 신붓감은 늙은 여인의 딸이었다.

다른 처녀들이 웅성거리더니 항의했다. 왜 하필이면 싹도 틔워오지 못한 저 여자가 간택되었느냐고.

왕자는 조용한 목소리로 그 연유를 설명했다.

"저 여인이야말로 황후의 미덕이라는 꽃을 피워낸 사람이오. 바로 정직이라는 꽃. 내가 그대들에게 나눠준 씨앗은 싹을 틔우지 못하는 것이오."

나의 진정한 수호자

나는 젊은 시절 자비로 『지옥의 보고서』라는 책을 낸 적이 있다(나로서는 대단히 긍지를 느끼는 작품이지만, 현재 서점에선 구할 수 없다. 아직까지 내가 뜯어고칠 용기를 내지 못한 까닭이다). 책을 출판하기가 얼마나 어려운 일인지는 누구나 다 안다. 그러나 책을 서점에 유통시키는 과정은 더 복잡하다. 매주 아내가 시내 한 끝에서부터 서점을 돌면 나는 다른 쪽 끝에서부터 같은 일을 했다.

어느 날, 아내가 내 책 몇 권을 옆구리에 끼고 아베니다 코파카바나를 건너려는데 작가 조르지 아마두와 부인 젤리아 가타이가 길 건너편에서 오더라는 것이다! 아내는 무턱대고 두 사람에게 말을 붙였다. 내 남편은 작가랍니다. 그런 말을 허구한 날 들었을 조르지와 젤리아는 친절하게도 내 아내에게 커피 한 잔을 권한 후, 책 한 권을 달라고 했다. 그리고 나의 문학적 성취를 기원하며 헤어졌다.

"당신, 어떻게 된 것 아니야?"

집에 돌아온 아내의 이야기를 듣고 내가 말했다.

"그 사람은 브라질에서 제일가는 작가란 말이야!"

"그러니까요." 아내가 말했다. "그런 경지에 이른 작가라면 분명 순수한 마음을 가졌을 거 아녜요."

내 아내 크리스티나의 표현은 그 이상 정확할 수 없었다. 순수한 마음. 그때부터 지금까지도 조르지는 유명한 작가이고 현대 브라질 문단의 거목이다.

세월이 흘렀다. 『연금술사』가 프랑스에서 출간 몇 주 만에 베스트셀러 1위에 올랐다. 얼마 후 나는 조르지 아마두에게서 진심어린 축하가 담긴 편지와 함께 베스트셀러 목록 복사본을 받았다. 조르지의 순수한 마음은 시샘을 몰랐다.

브라질과 외국의 몇몇 기자들이 조르지 아마두에게 『연금술사』를 두고 유도성 질문을 던지며 성가시게 굴었지만, 조르지는 단 한 번도 부정적인 평가로 그 상황을 쉽게 모면하려 하지 않았다. 그는 힘겹던 시절 나의 진정한 수호자가 되어주었다(내 작품에 대한 문단의 평은 극히 부정적이었다).

결국 나는 첫 문학상을 프랑스에서 받았다. 수상 당일 나는 로스앤젤레스에서 선약이 있었는데, 시상식 날짜를 변경하는 게 절대로 불가능한 상황이었다. 내 책을 펴낸 출판사 사장 안 카리에르는 절망했다. 미국의 출판사들과 얘기를 해보았지만, 그들 역시 예정된 행사를 미룰 수 없었다.

시상식 날짜는 다가오고 수상자는 참석할 수가 없다. 어쩐다? 안 카리에르는 나와 상의 없이 조르지 아마두에게 전화를 걸어 상황을 설명했고, 조르지는 자신이 대리로 수상하는 것이 어떻겠냐는 제안을 했다. 그뿐만이 아니었다. 그는 프랑스 주재 브라질 대사관에 전화를 해 대사를 초대하고, 멋진 연설로 참석자들을 감동시켰다.

신기한 것은, 내가 조르지 아마두를 직접 만나게 된 게 그로부터 일 년이 지나서라는 점이다. 그러나 이미 그전부터 나는 그의 책만큼이나 그의 영혼을 숭배하고 있었다. 그는 초심자를 업신여기지 않는 유명 작가였고, 동포의 성공을 기뻐하는 브라질인이었으며, 누군가 도움을 청하면 도울 준비가 되어 있는 사람이었다.

마음이 시키는 일

나는 믿는다. 적어도 우리가 일주일에 한 번은 말을 걸고픈 사람과 마주치게 된다고. 다만 말을 붙일 용기가 없을 뿐이다. 며칠 전 한 독자—편의상 안토니우라고 하자—에게서 이 문제와 관련된 편지를 받았다. 안토니우에게 일어난 일이다.

마드리드의 그란 비아를 산책하던 중 나는 한 여자를 만났습니다. 아담한 키에 피부가 하얗고 잘 차려입은 여자였는데 구걸을 하고 있었어요. 내가 다가가자 여자는 샌드위치를 사려는데 동전 좀 줄 수 없냐고 물었습니다. 브라질에서 늘 누더기를 걸친 걸인을 보아온 터라 나는 여자에게 돈 한 푼 쥐여주지 않고 지나쳤습니다. 그러나 묘한 감정을 불러일으키는 그녀의 눈빛은 내내 잊을 수가 없었습니다.

호텔로 돌아온 나는 거리에 나가 그 여자에게 돈을 줘야 할 것 같은 이해할 수 없는 충동에 휩싸였습니다. 나는 휴가중이고, 막 점심을 먹었고, 주머니엔 돈이 있었지요. 남들의 눈총을 받으며 구걸을 해야 하는 그녀의 심정은 오죽했을까요.

나는 여자를 본 그 자리로 돌아갔습니다. 하지만 여자는 없었습니다. 주변 거리도 찾아보고, 다음날도 순례를 반복했지만 헛수고였습니다.

그날부터 나는 푹 잠들 수 없었습니다. 브라질로 돌아온 나는 한 친구에게 내 경험을 이야기했습니다. 친구는 중요한 만남을 놓친 것 같으니, 신께 도움을 청하라고 했습니다. 나는 기도를 했고, 그 여자를 다시 찾으라는 음성을 들었습니다. 매일 밤 나는 잠에서 깨어 흐느껴 울었습니다. 이대로는 안 되겠다는 생각이 들었지요. 여자를 다시 찾기 위해 나는 비행기 표 살 돈을 모아 마드리드로 돌아갔습니다.

그리고 기약 없이 그녀를 찾아나섰습니다. 시간은 흐르고 돈은 바닥이 나고 있었습니다. 나는 돌아가는 항공권의 날짜를 연기하기 위해 여행사로 갔습니다. 어쨌든 그 여자를 찾아 돈을 준 다음에야 브라질로 돌아가겠다고 결심한 후였지요.

여행사 사무실에서 나와 계단을 내려갈 때 나는 누군가와 마주쳤습니다. 내가 찾던 바로 그 여자였습니다. 나는 주머니에 들어 있던 돈을 모두 털어 그녀에게 주었습니다. 내 마음은 깊은 평온을 느꼈고, 나는 신께 감동적인 두번째 만남에, 그 두번째 기회에 감사의 기도를 올렸습니다.

그후로도 나는 스페인에 여러 번 다녀왔습니다. 다시는 그 여자를 만나지 못하리라는 것을 알고 있지만, 나는 내 마음이 시키는 대로 따랐던 것입니다.

미소 짓던 커플

1977년, 나는 세실리아라는 여자와 결혼해 런던에 살고 있었다. 내 안의 열정을 일깨우지 않는 것들은 미련 없이 포기하던 시절이었다. 우리는 팰리스 스트리트의 작은 아파트 이층에 살았는데, 그 집에 사는 동안 새로운 친구를 사귀지 못했다.

매일 저녁 우리집 창 밑을 지나 옆 건물의 펍에 드나드는 젊은 남녀가 있었다. 그들은 그때마다 우리에게 손을 흔들며 내려오라고 손짓했다. 나는 행여나 이웃에 폐를 끼칠까 불안한 마음에 나와는 아무 상관 없는 일인 양 딴전을 피웠다. 그래도 그들은 계속해서 우리를 불렀다. 심지어는 창가에 아무도 보이지 않을 때조차.

그러던 어느 날 밤, 나는 더이상 참지 못하고 거리로 내려가 그들에게 시끄럽게 굴지 말아달라고 주의를 주었다. 나를 보며 미소 짓던 그들은 즉시 울상이 되어 사과를 하고 떠났다. 그날, 나는 깨달았다. 새로운 친구를 사귀기를 그토록 원하고 있으면서도 이웃의 눈이 무서워 그 기회를 놓쳐버렸음을.

나는 다음에 그들을 만나면 꼭 한잔 하자고 초대해야지 마음먹었다. 그리고 일주일 내내 창가에 서서 기다렸건만 그들은 평소 지나던 시간에 나타나지 않았다. 그들을 만나러 펍까지 찾아갔지만 주인도 신통한 소식을 전해주지 않았다.

나는 창문에 이런 글귀를 매달았다. '다시 불러주세요.' 그 결과, 어느 날 밤 한 무리의 주정뱅이들이 우리집 창문 아래서 그 글귀를 손가락으로 가리키며 온갖 욕설을 퍼부었고, 그렇게나 내가 신경 쓰던 이웃들이 집주인에게 불평을 해댔다.

하지만 나는 그 커플을 다시는 만나지 못했다.

두번째 기회

"시빌레에 관한 이야기들은 언제 들어도 매혹적이지요."

나는 친구이자 나의 출판 에이전트인 모니카에게 말했다. 우리는 차를 타고 포르투갈로 가는 중이었다.

"한번 놓친 기회는 영원히 돌이킬 수 없다는 걸 강조하는 이야기들이잖아요."

시빌레란 고대 로마에서 예지능력을 가진 여자들을 일컫는 말이다. 어느 날 그들 중 하나가 아홉 권의 책을 들고 황제 티베리우스의 궁전으로 찾아왔다. 그녀는 책 속에 왕국의 미래가 담겨 있다며 책값으로 금화 십 달란트를 요구했다. 티베리우스는 책값이 너무 비싸다며 사지 않았다.

시빌레는 돌아가 세 권의 책을 태우고 남은 여섯 권을 들고 다시 황제를 찾아왔다.

"이번에도 책값은 금화 십 달란트입니다."

그녀가 말했다. 티베리우스는 어이가 없어 웃으며 여자를 돌려보냈다. 책 여섯 권을 아홉 권 값에 팔겠다니!

시빌레는 다시 돌아가 세 권의 책을 더 태우고 남은 세 권만을 들고 티베리우스를 찾아왔다.

"이번에도 값은 금화 십 달란트입니다."

다급해진 티베리우스는 결국 세 권의 책을 샀다. 그러나 그가 읽을 수 있는 것은 미래의 일부뿐이었다.

이야기를 마칠 때쯤 우리는 치우다드 로드리고를 지나고 있었다. 스페인과 포르투갈의 국경지대와 인접한 곳이었다. 사 년 전 이곳에서 어떤 사람이 내게 책을 사라고 권했지만 나는 사지 않았다.

"여기서 잠시 쉬어가도록 하죠. 시빌레의 예언서들에 대한 기억이 어떤 표지인 것 같아요. 내가 과거에 저지른 실수를 어쩌면 만회할 수 있을지도 모르겠군요."

처음 내 책을 소개하러 유럽을 순회하던 때, 치우다드 로드리고에서 점심을 먹은 적이 있었다. 나는 식사 후에 대성당에 들어갔다가 한 신부를 만났다.

"오후 햇살이 성당 안을 참 근사하게 비춰주지 않습니까?"

신부가 말했다. 나는 그 말이 마음에 들어 그와 잠시 대화를 나누었다. 신부는 성단과 회랑과 안뜰을 차례로 보여주었다. 마지막으로 그는 자신이 그 성당에 대해 쓴 책을 사라고 권했지만 나는 사지 않았다. 떠나오면서 그것이 은근히 마음에 걸렸다. 유럽을 돌며 자기 책을 파는 명색이 작가라는 사람이, 똑같이 책을 쓰는 사람으로서 사제의 책 한 권을 사주지 못한단 말인가. 그러나 곧 나는 그 일을 잊어버렸다. 방금 전까지도.

차를 세우고, 모니카와 나는 광장을 가로질러 성당 앞에 섰다. 한 여자가 하늘을 올려다보고 있었다.

"실례합니다." 내가 말했다. "이 성당에 대한 책을 쓰신 신부님을 뵙고 싶은데요."

"스타니슬라우 신부님 말씀이시군요. 그분은 일 년 전에 돌아가셨습니다."

여자가 대답했다.

가슴이 쓰려왔다. 왜 나는 스타니슬라우 신부에게 내 책을 읽은 독자들을 만날 때 내가 느낀 기쁨을 선사하지 못했을까?

"그분은 제가 아는 가장 너그러운 분이셨어요." 여자는 이어서 말했다. "신부님께선 평범한 가정에서 태어났지만 고고학 전문가가 되셨죠. 제 아들이 대학에 갈 수 있도록 도와주시기도 했고요."

내가 온 이유를 설명하자 여자가 말했다.

"형제님, 그렇게 자책하지 말고 다시 성당을 둘러보세요."

나는 그녀의 말을 표지라 여기고 따랐다. 교회 안에는 오지 않을 신자를 묵묵히 기다리는 고해실의 신부 한 사람뿐이었다. 내가 다가가자 그는 곧 무릎을 꿇고 앉으라는 손짓을 했다. 하지만 나는 말을 꺼냈다.

"저는 고해를 하러 온 게 아닙니다. 스타니슬라우 신부님께서 성당에 관해 쓰신 책을 한 권 사러 왔습니다."

사제의 눈이 빛났다. 그는 고해실을 나오더니 몇 분 후 책을 들고 나타났다.

"단지 이것 때문에 여길 오시다니, 얼마나 가슴 뿌듯한지요! 스타니슬라우 신부님은 제 형님입니다. 말씀을 들으니 정말로 기쁘군요! 누군가 신부님의 업적을 알아주시니 그분도 하늘에서 내려다보며 기뻐하실 겁니다!"

그 성당에는 분명 다른 사제들도 있을 것이다. 하지만 무슨 행운인지 나는 스타니슬라우 신부의 동생을 만난 것이다. 성당을 나서는데 뒤에서 그가 나를 불렀다.

"오후 햇살이 성당 안을 참 근사하게 비춰주지 않습니까?"

사 년 전 스타니슬라우 신부가 내게 한 말 그대로였다. 삶에는 언제나 두번째 기회가 있는 법이다.

하느님의 돋보기

나는 시드니 항구에서 두 도시를 연결해주는 아름다운 다리를 바라보고 있었다. 그때 호주 사람이 다가와 신문에 나온 광고를 읽어달라고 했다.

“글씨가 너무 작아서요. 뭐라고 쓴 건지 통 모르겠어요.”

나도 읽어보려고 했지만 돋보기를 집에 두고 온 터였다. 나는 남자에게 미안하다고 했다.

“별 말씀을요.” 남자가 말했다. “그런데 내 생각엔 하느님도 눈이 나빠 고생인 것 같아요. 늙어서가 아니라 일부러 그러시는 거겠지만요. 그래야 사람들이 잘못을 저지르는 걸 봐도 잘 안 보인다고 할 수 있을 것 아닙니까. 그래서 결국 사람을 용서하시는 것일 테고요. 불의와 타협하고 싶진 않으실 테니.”

“그럼 사람들이 잘한 일들은 어떻게 되는 걸까요?”

내가 물었다.

"아, 그럴 땐 말이죠." 그가 웃으며 걸음을 뗐다. "하느님은 그럴 땐 돋보기를 집에 두고 오시는 법이 없답니다!"

사막의 눈물

모로코에서 돌아온 친구가 한 선교사에 관한 아름다운 이야기를 들려주었다. 선교사는 마라케시에 도착하자마자 시 외곽의 사막으로 매일 아침 산책을 가기로 했다. 산책 첫날 선교사는 한 사내가 사막에 누워 있는 모습을 보았다. 사내는 귀를 바닥에 대고 모래를 쓰다듬고 있었다.

"정신이 나간 게 분명하군."

선교사는 혼잣말을 했다.

그 광경은 매일 반복되었다. 한 달 후 사내의 괴상한 행동에 호기심이 생긴 선교사는 그 낯선 남자에게 말을 걸어보기로 했다. 선교사는 사내 곁에 앉아 어눌한 아랍어로 더듬더듬 말을 꺼냈다.

"뭐 하시는 겁니까?"

"사막과 벗하며 그의 외로움과 눈물을 달래주고 있죠."

"사막이 울 수도 있는 줄은 몰랐네요."

"사막은 매일 울어요. 사막의 꿈은 곡식도 꽃도 심을 수 있고, 양도 먹일 수 있는 넓은 들판이 되어 사람들에게 쓸모 있는 존재가 되는 것이거든요."

"그럼 사막에게 말해주세요. 사막은 사막대로 쓸모가 있노라고." 선교사가 말했다. "사막을 걸을 때면 우리가 신 앞에 얼마나 작은 존재인지 깨닫게 되죠. 사막의 모래를 바라보며 나는 운명에 따라 제각기 다른 모습으로 살고 있지만, 동등한 사람으로 태어난 수많은 사람들을 떠올린답니다. 사막의 지평선에 해 뜨는 모습을 보면 마음이 평화로 가득 차오르고 창조주께 가까워지는 느낌이지요."

선교사는 인사를 한 뒤, 일과를 수행하러 갔다. 다음날 아침 같은 장소에 같은 자세로 누워 있는 사내를 발견하고 선교사가 얼마나 놀랐을지 상상이 가는가.

"제가 한 이야기를 사막에게 모두 전해주셨나요?"

사내는 고개를 끄덕였다.

"그런데 아직도 울고 있어요?"

"저는 사막이 훌쩍이기만 해도 다 들을 수 있어요. 이제 사막은 수천 년 동안 자신이 쓸모없는 존재인 줄만 알고 신을 원망하고 제 운명을 비관하느라 시간을 허비한 것을 뉘우치며 울고 있어요."

"그럼 이렇게 말해주세요. 사막보다 수명이 훨씬 짧은 인간들도 자신이 쓸모없다고 생각하면서 긴 세월을 허비한다고요. 인간은 자신의 진정한 운명을 발견하는 경우가 드물고, 신이 불공평하다고 느낀다고요. 어렵사리 세상에 태어난 이유를 발견한다 해도 어차피 늦었다며 삶을 바꾸지 않는 경우도 흔하다고요. 사람도 사막처럼 괴로워하며 헛되이 보낸 세월을 원망하는 편을 택하곤 하죠."

"사막이 그 말을 들을지 모르겠어요. 워낙 고통에 익숙해져 있어 다른 식으로 세상을 보긴 힘들 거예요."

"그럼 제가 언제나 희망을 잃은 사람을 만날 때마다 늘 하던 대로 하겠습니다. 기도합시다."

두 사람은 무릎을 꿇고 기도를 올렸다. 이슬람교도인 사내는 메카를 향해, 가톨릭교도인 선교사는 두 손을 모으고 기도를 드렸다. 각자가 각자의 신에게. 저마다 다른 이름으로 부르더라도 신은 하나였다.

다음날 같은 자리에 가보니 사내는 없었다. 그러나 그가 언제나 쓰다듬고 있던, 젖은 모래가 보이던 자리에 샘물이 솟아오르고 있었다. 몇 달 후 샘은 더 커졌고, 시에 사는 사람들이 그 둘레에 돌을 쌓아 우물을 만들었다.

베두인 사람들은 그곳을 '사막의 눈물이 고인 우물'이라고 부른다. 그들의 말에 따르면 그 우물물을 마시면 가슴속의 고통의 샘을 기쁨의 샘으로 바꿀 수 있다고 한다. 그리고 마침내 진정한 운명을 발견하게 된다고.

바랑 속의 바나나

자주 가는 레스토랑에서 이사벨라를 만났다. 음식 맛이 일품인데도 늘 손님이 없는 식당이었다. 이사벨라는 네팔 여행중에 몇 주 동안을 사원에서 보냈다고 했다.

어느 날 오후, 그녀는 한 수도승과 근방으로 산책을 나갔다. 수도승은 어깨에 메고 있던 바랑을 열더니 그 안에 든 것들을 한참 들여다보고는 이사벨라에게 말했다.

“바나나가 삶의 의미를 가르쳐줄 수 있다는 것을 아시나요?”

수도승은 썩은 바나나를 꺼내 내던졌다.

“제때 쓰지 않아서 흘러가버린 인생이에요. 이젠 너무 늦었죠.”

그리고 수도승은 초록빛이 도는 바나나를 꺼내 보여주더니 도로 가방에 집어넣었다.

“아직 아무 일도 일어나지 않은 인생이죠. 때가 올 때까지 기다려야 합니다.”

마지막으로 수도승은 잘 익은 바나나를 꺼내 껍질을 벗겨 이사벨라에게 나누어주었다.

"이것이 현재입니다. 두려움이나 죄의식 없이 맛있게 드시는 법을 배우세요."

마음의 소리

수세기 전 일본 막부 시절, 검도의 정신수련에 대한 한 권의 비전이 씌어졌다. 『부동지신묘록(不動智神妙錄)』이라는 이 책을 쓴 저자는 검의 달인이자 선승이었다. 그 책에서 발췌한 내용들이다.

고요함을 유지하라.

무릇 삶의 의미를 터득한 자는 모든 일에 끝도 시작도 없음을 알 것이니, 근심할 필요가 없다. 스스로 믿는 바를 위해 싸우라. 그 무엇에도, 그 누구에게도 과시하려 하지 말라. 스스로 사명을 선택한 자의 고요함을 유지하라.

이는 사랑과 전쟁 모두에 해당되는 말이다.

마음의 소리에 귀 기울이라.

자신의 매력을 과신하고 적재적소에 들어맞는 말을 할 줄 알고 몸을 정확하게 사용할 능력이 있다고 믿는 사람은 '마음의 소리'

에 소홀하기 쉽다. 마음의 소리는 우리를 둘러싼 주위와 온전한 조화를 이룰 때만 들리는 법. 자기 중심으로 사고하는 자는 절대 그것을 들을 수 없다.

이는 사랑과 전쟁 모두에 해당되는 말이다.

타인의 입장에서 생각하는 법을 배우라.

우리는 스스로 여기기에 최상의 태도를 유지하는 데만 정신이 팔려 종종 중요한 것을 망각한다. 목표를 이루기 위해서는 타인의 도움이 필요한 법. 그러므로 세상을 똑바로 보는 것은 물론, 우리 스스로 다른 사람의 입장이 되어 그들의 생각을 헤아릴 수 있어야 한다.

이는 사랑과 전쟁 모두에 해당되는 말이다.

참 스승을 찾으라.

우리는 살아가면서 그 동기가 사랑에서 우러난 것이든 교만에서 비롯된 것이든 간에, 우리에게 무언가를 가르치려는 사람들을 만난다. 어떻게 참 벗과 협잡꾼을 구별할 것인가? 방법은 간단하다. 참 스승은 우리 앞에 이상적인 길을 제시하지 않는다. 그는 목적에 도달할 길을 찾는 방법을 보여준다. 길을 찾으면 스승은 우리를 돕지 않는다. 도전은 각자의 몫이기 때문이다.

이는 사랑과 전쟁 모두에 해당되는 말이다. 이를 이해하지 못하면 어느 곳에도 도달할 수 없다.

위협에서 벗어나라.

우리는 종종 꿈을 위해 몸을 던지는 것이 최상의 선택이라고 생각한다. 이는 진실과는 동떨어진 말이다. 소망을 실현하기 위해 몸을 지키고 위험을 피할 방도를 찾아야 한다. 계획한 바에 다가설수록 실수의 위험은 높아진다. 타인, 삶의 교훈, 열정, 고요함이라는 네 가지 요소로부터 눈을 돌리게 되기 때문이다. 모든 것을 잘 제어하고 있다고 믿을수록 방심하게 된다. 위험은 경고 없이 다가온다. 갑작스런 대응은 일요일 낮의 산책처럼 계획할 수 있는 게 아니다.

그러니, 사랑이나 전쟁에서 조화를 이루고 싶거든 신속히 반응하는 법을 익혀라. 통찰력을 키움으로써, 쌓아온 경험을 기계적으로 적용하는 실수를 피하라. 경험을 늘 '마음의 소리'를 듣는 데 활용하라. 설사 그 소리에 동의할 수 없더라도 존중하고 그 조언을 따르라. 마음은 나설 때와 물러설 때를 알고 있다.

이는 사랑과 전쟁 모두에 해당되는 말이다.

세 자매 바위

호주에 도착한 다음날, 내 책을 펴내는 출판사 대표가 나를 시드니 근교의 국립공원으로 데려갔다. 블루마운틴이라는 공원의 숲 한가운데에는 오벨리스크처럼 생긴 세 개의 암석이 있었다.

"세 자매 바위랍니다."

그가 바위에 얽힌 전설을 들려주었다.

한 마법사가 누이 셋을 데리고 길을 가고 있는데 인근에서 가장 이름난 전사가 다가와 말했다.

"이 사랑스러운 처자들 중 한 사람과 결혼하고 싶습니다."

"당신이 세 자매 중 하나만 데려가 결혼한다면 남은 둘은 저희가 못났다고 수심에 빠질 게 분명하오. 그러니 전사가 세 아내를 거느리는 것을 허용하는 곳이 있는지 찾아보리다."

마법사는 그렇게 말하고는 누이들을 데리고 다시 길을 떠났다.

그러나 오랜 세월 호주 땅을 헤매고 다녔지만 그런 부족은 찾을 수 없었다.

마침내 그들은 한 발짝도 더 옮길 수 없을 만큼 늙고 지쳤다. 그러자 자매들 중 하나가 말했다.

"우리 중 적어도 한 사람은 행복해질 수 있었을 텐데."

"내 잘못이다." 마법사가 말했다. "그러나 돌이키기엔 이젠 너무 늦었구나."

그리고 그는 세 자매를 바위로 만들었다. 그곳을 지나가는 사람들이 모두 깨달음을 얻을 수 있게 하기 위함이었다. 누군가의 행복이 다른 사람에게 꼭 불행을 의미하는 것은 아니라는 것을.

성공의 맛

내 책을 펴내는 이란의 출판인 아라시 헤자지가 들려준 이야기다.

한 남자가 영적인 삶을 살기 위해 평생을 명상으로 바칠 각오를 하고 혈혈단신 높은 산에 올랐다. 머지않아 입고 있던 옷이 더러워져서 여벌의 옷이 필요해진 그는 인근 마을로 내려왔다. 사람들은 그가 구도자라는 것을 알고 있었으므로 구걸하는 사내에게 바지와 윗옷 한 벌을 마련해주었다.

사내는 공손히 감사의 말을 하고 터를 잡은 산봉우리 토굴로 돌아갔다. 그는 밤에는 담을 쌓고 낮에는 명상을 했으며, 나무 열매를 먹고 근처 샘에서 나는 물을 마시며 연명해갔다.

한 달 후, 남자는 말리려고 널어둔 옷을 쥐가 쏠고 있는 모습을 보았다. 그는 오로지 영적 과업에만 집중하고 싶었기에 다시 마을로 내려가 고양이 한 마리를 달라고 부탁했다. 사내의 구도생활을 존경하는 마을 사람들은 그에게 고양이 한 마리를 주었다.

일주일 후, 고양이는 죽을 지경이 되었다. 이제 쥐는 한 마리도 남지 않은데다 과일만 먹고 살 수 없었기 때문이었다. 남자는 마을로 내려가 우유를 나눠달라고 했다. 마을 사람들은 우유는 고양이의 몫이고 남자는 자연에서 나는 것 외에 다른 것은 먹지 않는다는 걸 알았기에 다시 한번 도와주었다.

마을에서 얻어온 우유가 바닥나자 남자는 마을 사람들에게 소를 빌려달라고 부탁해 한 마리 얻어왔다. 소가 고양이가 먹고도 남을 만큼 우유를 만들어냈으므로 버리는 것이 아까워진 남자도 우유를 마시기 시작했다. 깨끗한 산 공기를 마시고, 과일을 먹고, 명상하고, 우유를 마시고, 몸을 단련하면서 그는 실로 늠름한 사내로 변해갔다. 양을 찾다가 산봉우리에 올라왔던 한 처녀가 그를 보고 사랑에 빠졌다. 그녀는 고요하게 명상에 집중할 수 있도록 집안일을 돌봐줄 여자가 필요하다고 설득해 사내와 함께 살게 되었다.

삼 년 후, 남자는 결혼해 아이 둘, 소 세 마리, 과수원을 가지게 되었다. 그는 명상원도 운영하게 되었는데, '영원한 젊음의 사원'이라는 이름을 붙인 이곳을 방문하는 사람들이 너무 많아 길게 줄을 서야 할 정도였다.

그 모든 것의 시작을 물을 때마다 그는 이렇게 대답했다.

"처음엔 옷 두 벌밖에 없었지요. 그런데 두 주쯤 지나자 쥐 한 마리가 그것들을 갉아먹지 뭡니까. 그래서……"

그러나 그의 이야기를 끝까지 들으려는 사람들은 없었다. 그들에게 사내의 이야기는 수완 좋은 사업가가 사원의 가치를 높이고 정당화하기 위해 꾸며낸 것으로밖에 들리지 않았으니까.

다도

일본에서 다도에 참여한 적이 있다. 조그만 방으로 들어가면 차를 준다. 차를 마신다는 소소한 일상사에, 우주와의 성찬이라 할 만큼 수많은 의식과 절차가 따른다는 걸 빼면, 그게 다였다.

그 과정에서 무슨 일이 일어나는지에 대해서는, 다도의 명인 오카쿠라 가쿠조의 설명을 들어보자.

다도는 아름다움과 단순함을 숭배하는 의식이다. 일상의 불완전한 동작을 통해 완벽을 경험할 수 있도록 모든 노력을 기울이는 것이다. 다도의 아름다움은 간단한 동작을 수행하는 데 따르는 정성으로부터 온다. 간소한 차 한 잔이 우리를 신께 가까이 다가갈 수 있도록 한다면, 평범한 일상이 주는 다른 사소한 기회들에도 눈을 돌려야 할 것이다.

구름과 모래언덕

"구름의 일생이 변다하면서도 짧기 그지없다는 것은 누구나 안다."

브루노 페레로의 문장이다.

그리고, 이런 이야기가 있다.

지중해를 지나는 거대한 폭풍 속에서 어린 구름 하나가 태어났다. 강한 바람이 늘 아프리카 쪽으로 몰아대는 바람에 어린 구름은 자랄 틈이 없었다.

구름들이 대륙에 닿자마자 기후가 변했다. 하늘엔 환한 햇살이 비치고, 아래로는 사하라의 금빛 모래가 펼쳐졌다. 사막엔 거의 비가 내리지 않기 때문에 바람은 구름들을 계속해서 남쪽 숲지대 방향으로 몰아갔다.

한편, 여느 어린아이처럼 어린 구름도 세상을 발견하기 위해 부모와 오랜 벗들을 떠나기로 결심했다.

"지금 뭐 하는 거야?" 바람이 소리쳤다. "사막이 다 거기서 거기지. 자, 다른 구름들과 함께 중앙아프리카로 가자. 거기 가면 멋진 산과 나무들이 있다고!"

그러나 반항적인 기질이 다분한 어린 구름은 바람의 말을 거역하고 천천히 아래로 내려갔다. 그리고 마침내 부드러운 산들바람에 실려 닿을 듯 말 듯 사막 위에 떠 있게 되었다. 바람에 실려 떠돌던 어린 구름은 어느 날 그를 향해 미소 짓는 모래언덕을 발견했다.

모래언덕 역시 아직 어렸고, 막 불어온 바람이 만들어놓고 간 것이었다. 구름은 모래언덕의 금빛 머릿결을 보고 한눈에 반했다.

"안녕." 어린 구름이 인사했다. "그 아래서 사는 건 어때?"

"다른 모래언덕들, 해, 바람, 이따금 지나쳐가는 대상(隊商)들이 내 친구야. 너무 뜨거울 때도 있지만 견딜 만해. 그 위는 어때?"

"여기도 해와 바람이 있어. 좋은 건 하늘을 누비며 더 많은 걸 볼 수 있다는 거야."

모래언덕이 말했다.

"내게 삶은 너무 짧아. 숲에서 다시 바람이 불어오면 나는 사라지고 말아."

"그게 슬퍼?"

"어쩐지 의미 없이 사는 것 같은 느낌이 들어."

"나도 마찬가지야. 어디선가 바람이 불어오면 나는 남쪽으로 불어가 비로 변해. 그게 내 운명이니까."

모래언덕이 잠시 멈칫거리다 말했다.

"그거 아니? 사막에서는 비를 '낙원'이라고 부른대."

"몰랐네, 내가 그렇게 중요한 존재가 될 수 있다니."

구름이 우쭐해져서 말했다.

"늙은 모래언덕들이 비에 대해 말하는 걸 들었어. 그들 말로는, 비가 오면 우리 몸은 풀과 꽃으로 덮인대. 그런데 난 아직 그게 어떤 건지 몰라. 사막엔 비가 좀처럼 오지 않거든."

이번엔 구름이 잠시 머뭇거렸다. 그러더니 활짝 웃으며 말했다.

"네가 원하면 당장 비를 뿌려줄 수 있어. 여기 온 지 얼마 안 됐지만, 너를 사랑하게 되었거든. 그래서 영원히 네 곁에 있고 싶어."

"하늘에 떠 있는 너를 보자마자 나도 널 사랑하게 됐어." 모래언덕이 말했다. "하지만 너의 그 사랑스런 하얀 얼굴이 비로 변하면 너는 죽게 되는 거잖아."

"사랑은 결코 죽지 않아." 구름이 말했다. "다만 그 모습을 바꿀 뿐이야. 그리고 난 네게 '낙원'이 어떤 건지 보여주고 싶은걸."

그리고 구름은 작은 빗방울들로 모래언덕을 어루만지기 시작했다. 그렇게 그들은 무지개가 나타날 때까지 함께 머물렀다.

다음날 어린 모래언덕은 풀과 꽃으로 덮였다. 중앙아프리카로 가던 다른 구름들이 풀과 꽃으로 뒤덮인 모래언덕을 보았다. 구름들은 그 모래언덕이 그들이 찾는 숲이라고 착각하고 비를 쏟았다. 이십 년 후 모래언덕은 오아시스로 변해 여행자들에게 쉬어갈 나무 그늘을 마련해주었다.

이 모든 것은 한 어린 구름이 그의 삶을 두려움 없이 사랑에 바침으로써 일어난 일이다.

노르마의 기쁜 나날들

마드리드에는 노르마라고 불리는 아주 특별한 브라질 여인이 산다. 스페인 사람들은 그녀를 '바위 할머니'라고 부른다. 예순이 넘은 나이에도 그녀는 갖가지 행사와 축제, 공연을 주관하며 왕성하게 활동하고 있다.

한번은 새벽 네시쯤이었을까. 서 있을 기운조차 없던 나는 그녀에게 물었다. 그 힘이 대체 어디서 나오는 거냐고.

"내겐 마법의 달력이 있어요. 원한다면 보여드리지요."

다음날 나는 그녀의 집으로 갔다. 노르마는 낡고 여기저기 글씨가 휘갈겨진 달력을 꺼내 보이며 말했다.

"오늘은 소아마비 예방 백신이 개발된 날이로군요! 축하해야지요, 삶은 아름다운 거라오."

노르마는 하루도 빠짐 없이 날짜 밑에 그날 일어난 좋은 일들을 적어두었다. 그녀에게 삶은 늘 행복할 이유가 있는 것이었다.

평화로운 세상을 위해

내 옆자리에는 요르단 국왕 부부가 앉아 있었고, 그외에도 미 국무장관, 아랍 연맹 대표, 이스라엘 외무장관, 독일 대통령, 아프가니스탄 대통령, 그리고 진행중인 중동평화협상과 관계된 유명 인사들이 참석해 있었다. 기온은 섭씨 40도에 달했지만, 사막에는 가벼운 바람이 불었다. 피아니스트의 소나타 연주가 잔잔히 흐르는 가운데 하늘은 맑았고, 정원 곳곳에는 횃불이 타고 있었다. 사해 건너 저 멀리 이스라엘이 보였다. 예루살렘의 불빛들이 수평선에서 빛나고 있었다. 온 세상이 평화롭고 조화로운 가운데, 문득 내게 어떤 깨달음이 왔다. 이것이 현실과 동떨어진 환상이 아니라는 것, 이 순간이 우리 모두의 꿈이라는 것. 최근 몇 달 동안 나의 염세주의는 점점 깊어지고 있었지만, 사람들이 대화를 시도하는 한 모든 것이 끝난 것은 아니리라.

연주가 끝난 후, 라니아 왕비는 이 장소를 택한 상징적 의미에 대해 이야기했다. 사해의 수면은 해발 마이너스 401미터로, 지구에서 수면이 가장 낮은 곳이다. 더 깊은 곳으로 잠수하고 싶어도, 염도가 워낙 높아 몸이 수면 위로 떠오르고 만다. 지난하고 고통스런 중동평화협상 과정도 이와 유사하다. 우리는 지금보다 더 낮은 곳으로 내려갈 수 없다, 는 것이 그녀의 이야기였다. 그날 텔레비전은 유대 이주민 한 명과 팔레스타인 청년 한 명이 목숨을 잃었다는 소식을 전했다. 하지만 나는 그 저녁 모임에 앉아 묘한 느낌에 빠져 있었다. 그곳의 고요함이 온 세상으로 퍼져나갈 것 같았고, 그 자리에 참석한 손님들처럼 서로 대화를 하다보면 유토피아가 도래하고 인간성이 더 이상 추락하지 않을 것 같았다.

중동에 갈 기회가 된다면 꼭 요르단이라는 경이로움으로 가득하고 친절한 나라에 가보기를, 사해에서 바다 저편의 이스라엘을 바라보기를 권한다. 그러면 우리 모두에게 평화가 필요하다는 것을, 그리고 그것이 불가능한 것이 아니라는 걸 이해하게 될 것이다.

다음은 행사중에 내가 쓰고 읽은 연설문의 일부이다. 유대인 명 바이올리니스트 이브리 기틀리스의 즉흥 연주가 연설중에 함께했다.

평화는 전쟁의 반대말이 아닙니다.

꿈을 위해 싸운다면 가장 격심한 전투중에도 평화로운 마음을 유지할 수 있습니다. 우리의 벗들이 모두 희망을 잃는다 해도, 선한 싸움이 가져다주는 평화가 우리를 도울 것입니다.

외교협상이 실패하고, 폭탄이 떨어지고, 군인들이 죽어가는 걸 목격하며 손이 떨리는 와중에도 아이를 먹이는 어머니의 눈에는 평화가 깃들어 있습니다.

온몸의 근육이 긴장되고 몸은 고될지라도, 활을 당기는 궁수의 마음에는 평화가 깃들어 있습니다.

그러므로 빛의 전사에게 평화는 전쟁의 반대말이 아닙니다. 그에게는 다음과 같은 능력이 있기 때문입니다.

* 빛의 전사는 한시적인 것과 영원한 것을 구별할 줄 압니다. 빛의 전사는 꿈과 생존을 위해 싸우지만, 문화와 종교를 초월하여 오랜 세월 쌓이는 유대를 중시합니다.

* 빛의 전사는 싸움의 상대가 반드시 적은 아니라는 걸 알고 있습니다.

* 빛의 전사는 자신의 행위가 이후 오 대에 걸쳐 영향을 미칠 업을 쌓는다는 것, 자손들이 그 덕을 누리거나 그 때문에 고생할 수도 있음을 잘 알고 있습니다.

* 『역경』에 이런 말이 있습니다. '끈기는 유용한 것이다.' 그러나 끈기를 융통성 없음과 혼동하지는 마십시오. 필요 이상으로 오래 지속되는 싸움은 재건에 필요한 힘을 앗아가는 법입니다.

빛의 전사에게는 실체 없는 관념이 없습니다. 자신을 변화시킬 모든 기회를 통해 그는 세상을 변화시킬 수 있습니다.

그의 사전에는 염세주의란 존재하지 않습니다. 필요한 경우, 그는 대세를 거스르기도 합니다. 늙고 지쳤을 때 손자들에게 이렇게 말하기 위해서지요. 그가 이 세상에 온 것은 이웃들을 더 잘 이해하기 위해서지 형제들을 파멸시키기 위해서가 아니라고.

사랑은 기적을 부른다

나는 자연의 힘과 조화를 이룬 삶을 추구하는 여성들의 단체인 '달의 전통'에 소속된 한 여자와 길을 걷고 있었다.

"갈매기를 쓰다듬어보고 싶지 않으세요?"

방파제에 앉아 있는 새들을 바라보며 그녀가 물었다.

물론 그러고 싶었다. 그러나 몇 번을 시도해도 새들은 다가서기가 무섭게 날아가버렸다.

"새들을 사랑하는 마음을 느껴보세요. 그 사랑이 당신의 가슴에서 새의 가슴으로 한 줄기 빛처럼 흐르도록 해보세요. 그리고 조용히 다가가세요."

나는 하라는 대로 했다. 두 번은 실패했지만 세번째엔 무아경에 빠진 듯한 상태가 되어 갈매기를 어루만질 수 있었다. 그뒤로도 무아경에 빠진 것 같은 상태가 되면 원하는 대로 갈매기를 쓰다듬을 수 있었다.

"사랑은 불가능해 보이는 것들 사이에 다리가 되어주죠."

나의 마녀 친구가 말했다.

같은 경험을 해보고 싶은 이들을 위해 함께 나누고자 이렇게 이야기한다.

물러나는 기술

자신의 총명함을 과신하는 빛의 전사는 결국 상대방의 힘을 과소평가하게 된다.

가끔은 힘이 전술보다 효율적임을 잊지 말아야 한다. 영민함이나 토론, 지능, 매력으로도 비극을 막을 수 없는 전투가 있게 마련이다.

그러므로 빛의 전사는 결코 날것 그대로의 폭력을 우습게 여기지 않는다. 그러나 폭력의 도가 지나칠 경우 그는 적이 제풀에 지칠 때까지 전장에서 물러나 있다.

그러나 한 가지, 확실히 해두어야 할 것이 있다. 빛의 전사는 어떤 경우에도 비겁하지 않다. 도주는 세련된 방어수단이지만, 두려움이 클 때 사용할 방법은 아니다. 자신의 마음에 추호라도 비겁함이 있는지 의심이 든다면, 전사는 패배를 마주하고 상처를 치유하는 편을 택한다. 도피하면 실제로 적이 가진 것보다 더 많은 힘을 그에게 실어주게 되는 까닭이다.

그는 알고 있다. 육신의 상처는 치료할 수 있지만, 영혼의 나약함은 끝내 떨칠 수 없다는 것을. 어렵고 고통스런 시기에 전사는 영웅심과 인내심, 용기가 뒤섞인, 감당하기 어려운 갈등에 직면한다.

승리의 가능성이 낮고 고통스러울 것이 분명한 전투를 준비하는 전사는, 필요한 정신상태에 이르기 위해 자신이 물리치려는 대상이 무엇인지 정확히 알고 있어야 한다. 다도의 명인 오카쿠라 가쿠조는 이렇게 썼다. "우리 안에 악마가 있음을 알고 있기에 우리는 타인 안의 악마를 볼 수 있다. 우리는 우리를 해치는 사람을 용서할 수 없다. 우리 역시 그런 경우 용서받을 수 없다고 믿기 때문이다. 우리는 내면의 고통스러운 진실을 털어놓는다. 그것을 감추고 싶어하는 자신의 마음을 알기 때문이다. 우리는 자신의 강건함을 과시한다. 누구도 우리의 허약함을 볼 수 없도록 하기 위해서다. 그러므로 우리가 형제를 심판할 때, 피고석에 선 것은 우리 자신임을 깨달아라."

이런 사실을 되새김으로써 우리는 손실뿐일 전쟁을 피할 수도 있다. 그러나 가끔은 불공평한 전쟁 외에 다른 길이 없을 때도 있다.

패할 것이 자명하고, 적과 그가 휘두르는 폭력이 우리에게 오직 비겁함 말고는 다른 여지와 이득을 남기지 않을 때, 우리는 운명을 받아들여야 한다. 저 훌륭한 『바가바드기타』 2장 17절~26절의 내용을 마음에 새기면서.

'사람은 태어나지도 죽지도 않는다. 한번 태어난 존재는 존재하기를 멈추지 않나니, 그는 영원하고 변하지 않기 때문이다. 그러니 사람이 낡은 옷을 벗고 새 옷을 입듯, 영혼도 늙은 몸을 버리고 새 몸을 입는다.

그러나 영혼은 허물 수가 없나니. 검으로 자를 수도 없고, 불로 태울 수도 없고, 물로 적실 수도 없고, 바람으로 말릴 수도 없다. 영혼은 이 모든 것들의 힘을 초월한다.

사람이란 이처럼 허물 수 없는 것이니, 그는 (패배한 경우라도) 언제나 승리에 넘친다. 이것이 바로 그가 슬퍼하지 말아야 할 이유이다.'

사과 한 알의 기적

영화제작자인 내 친구 후이 게하*가 모잠비크 오지에 사는 친구 집에서 하룻밤을 보냈을 때 겪은 이야기다. 그 나라는 전쟁중이라 휘발유며 전기며 모든 것이 제대로 공급되지 않았다.

시간을 때우기 위해 그들은 가장 먹고 싶은 것에 대해 이야기를 나누었다. 저마다 제일 좋아하는 음식을 대던 중에 내 친구 차례가 왔다.

후이가 말했다.

"사과가 먹고 싶군."

배급 때문에 과일을 구하는 게 불가능한 상황이었기에 한 소리였다.

바로 그 순간, 무슨 소리가 들렸다. 그리고 반짝이고 먹음직스러운 사과가 방으로 굴러들어와 후이 앞에 멈추는 게 아닌가!

---

* 모로코 출신의 브라질 영화감독. 브라질 영화 운동인 '시네마 노부'의 주역이다.

나중에 밝혀진 바에 의하면, 그곳에 사는 한 소녀가 암시장에서 과일을 사오고 있었다. 집으로 돌아오는 길에 소녀는 계단에서 넘어졌고, 사과가 들어 있던 가방이 열리며 사과 한 알이 방으로 굴러들어온 것이다.

우연에 불과하다고? 우연이란 말은 이 일화를 설명하기에 참으로 부족한 말이 아닐까.

아이들의 질문

활쏘기 연습을 할 곳을 찾느라 피레네 산맥을 헤매던 나는 우연히 프랑스 군인들의 야영지에 들어가게 되었다. 군인들이 일제히 나를 쳐다보았지만 나는 아무것도 보지 못한 척하며 계속 걸어갔다(우리는 스파이로 몰리지는 않을까 하는 피해망상을 모두 조금씩 갖고 있지 않은가).

적절한 장소를 찾아 준비운동을 하고 있는데, 웬 무장차량이 내 쪽으로 다가왔다.

나는 즉시 방어 태세를 갖추고 그들이 물을 만한 것들에 대한 답변을 준비했다. 나는 활쏘기 허가증을 지니고 있고, 이곳은 안전한 장소이며, 이에 대해 이의를 제기하는 건 군인의 임무가 아니라 산림감시원의 임무이다 등등. 이윽고 대령이 차에서 내리더니 내게 혹시 작가가 아니냐고 물었다. 그러고는 이 지역에 대한 몇 가지 흥미로운 사실을 들려주었다. 그는 수줍어하면서 자신도 책을 한 권 썼다고 이야기했다. 그리고 그걸 쓰게 된 범상치 않은 계기에 대해서도 들려주었다.

그와 그의 아내는 나병에 걸린 한 어린아이를 후원하고 있었는데, 원래 인도에 살던 그 아이가 나중에 프랑스로 오게 되었다. 그 어린 여자아이가 어찌 지내는지 궁금했던 부부는 수녀원으로 아이를 만나러 갔다. 그들은 거기서 멋진 오후를 보냈다. 그런데 수녀들 중 한 명이 그에게 아이들의 영적 교육을 좀 도와줄 수 있겠느냐고 물어왔다. 장 폴 세토(이 대령의 이름이다)는 자신은 교리문답을 지도해본 적은 없지만, 좀 생각해보고 어떻게 할지 신에게 물어보겠다고 대답했다.

그날 밤, 기도를 마친 그는 이런 응답을 들었다.

"대답만 주려 하지 말고, 아이들이 무엇을 궁금해하는지 알아내려고 노력하라."

그후 세토는 몇몇 학교를 방문하여 아이들이 삶에 대해 궁금해하는 것들을 모두 받아적었다. 수줍음을 타는 아이들도 망설이지 않고 종이에 질문을 써냈다. 그 결과물이 모여 '항상 질문하는 아이'라는 한 권의 책이 탄생했다. 그 질문들은 다음과 같다.

우리가 죽으면 어디로 가나요?
왜 우리는 외국인들을 두려워하나요?
화성인과 외계인은 존재하나요?
하느님을 믿는 사람들도 사고를 당하는 이유는 뭔가요?
신은 어떤 존재인가요?

우리가 결국 죽을 거라면 왜 태어나야 하나요?

하늘의 별은 몇 개나 되나요?

누가 전쟁과 행복을 만들어냈나요?

하느님은 같은 하느님(가톨릭의 하느님)을 믿지 않는 사람들의 말도 들어주나요?

왜 가난하거나 병든 사람들이 존재하나요?

왜 하느님은 모기와 파리를 만들었나요?

우리의 수호천사는 왜 우리가 슬플 때 곁에 없나요?

왜 우리는 어떤 사람은 사랑하고 어떤 사람은 미워하게 되나요?

여러 가지 색깔에 이름을 붙인 사람은 누구인가요?

하느님이 천국에 있고 돌아가신 우리 엄마도 천국에 있다면, 하느님은 어떻게 살아 있을 수 있나요?

만약 이 글을 읽는 분들 중에 선생님이 있다면 똑같이 한번 해보라고 권하고 싶다. 우리 어른들이 갖고 있는 우주에 대한 이해를 어린이들에게 강요하는 대신, 우리는 우리가 어린 시절에 갖고 있던, 아직 대답을 듣지 못한 질문들을 떠올리게 될 것이다.

보이지 않는 기념물

“이 기념비 굉장히 흥미롭지 않아?”

로베르트가 물었다.

늦가을 해질 무렵, 우리는 독일의 한 도시에 있었다.

“아무것도 안 보이는데.” 내가 대답했다. “그냥 공터인데 뭘.”

“기념비는 우리 발밑에 있어.”

로베르트가 우겼다.

다시 내려다보았지만 아무 무늬도 없이 똑같이 생긴 석판들뿐이었다. 친구를 실망시키고 싶지는 않았지만, 광장에 보이는 건 아무것도 없었다.

로베르트가 설명했다.

“이곳은 ‘보이지 않는 기념물’이라고 부르는 곳이야. 이 석판 밑에는 유대인들이 학살된 곳의 지명이 새겨져 있어. 한 무명 예술가가 이차 세계대전 동안 만든 것이라지. 매번 학살이 벌어진 장소가 알려질 때마다 석판이 하나씩 늘어갔다는군. 아무도 볼 순 없어도, 이 석판들은 여기 남아서 증언할 테고, 결국 미래엔 과거의 진실을 드러내게 될 거야."

우리 생을 이루는 얼굴 없는 자들

말쑥하게 차려입은 신사 셋이 내가 묵고 있는 도쿄의 호텔로 찾아왔다.

"어제 덴쓰 갤러리에서 강연하셨지요?"

그들 중 한 사람이 말했다.

"우연히 지나가다 마침 '이 세상의 어떤 만남도 우연이 아니다'라고 말씀하시던 순간에 갤러리에 들어섰습니다. 우선 저희 소개를 좀 하고 싶습니다."

나는 그들에게 내가 묵는 곳을 어떻게 알아냈느냐고 묻지 않았다. 아무것도 캐묻지 않았다. 일련의 거추장스런 과정을 극복하고 나를 만나러 온 사람들이라면, 그만큼의 예우를 받을 자격이 있다. 세 신사 중 한 사람이 내게 일본어로 씌어진 책 몇 권을 건넸다. 그러자 내 통역자가 흥분했다. 책을 준 이는 가즈히토라는 사람으로, 나는 들어본 적이 없었지만 저명한 일본 시인의 아들이라는 것이었다.

이 신비스런 동시성 덕분에 나는 시인이자 서예가였던 아이다 미쓰오의 걸작 중 일부를 이렇게 독자들과 나눌 기회를 가지게 되었다. 여기, 우리에게 순수함의 중요성을 일깨워주는 그의 시를 함께 나누고자 한다.

그토록 강렬한 삶을 살았으므로
풀은 말라버린 후에도 지나는 이들의 눈을 끄는 것.
꽃은 그저 한 송이 꽃일 뿐이나
혼신을 다해 제 소명을 다한다.
외딴 골짜기에 핀 백합은
누구에게도 자신을 내세우지 않는다.
꽃은 아름다움을 위해 살 뿐인데,
사람은 '제 모습 그대로' 살지 못한다.

토마토가 참외가 되려 한다면
그보다 우스운 일 어디 있을까.
놀라워라,
얼마나 많은 사람들이
자기가 아닌 다른 무엇이 되고 싶어하는지.
자신을 우스운 꼴로 만들려는 이유가 무엇인가?

언제나 강한 척할 필요는 없고,
시종일관 모든 것이 잘 돌아가고 있음을 증명할 필요도 없다.

다른 이들이 뭐라고 하건 신경 쓰지 않으면 그뿐.
필요하면 울어라,
눈물샘이 다 마를 때까지.
(그래야 다시 웃을 수 있는 법이니)

가끔 텔레비전을 통해 터널이나 다리의 준공식 장면을 볼 때가 있다. 보통 하객들과 지역 정치인들이 한 줄로 서고, 그 한가운데에는 장관이나 주지사가 서서 함께 리본을 자른다. 공사를 감독한 사람들이 사무실로 돌아오면 그들의 책상에는 공사를 치하하는 편지들이 쌓여 있다.

하지만 공사중에 땀 흘려 일한 사람들, 곡괭이와 삽을 쥐었던 사람들, 한여름 더위와 겨울 추위를 견뎌내고 일을 마친 사람들이 전면에 나서는 경우는 없다. 생색을 내는 것은 언제나 땀 흘려 일하지 않은 사람들이다.

나는 그만두지 않으리라. 보이지 않는 얼굴, 명성도 영예도 좇지 않고 자기 일을 묵묵히 하는 그 얼굴들을 지켜보는 사람이기를.

나는 그런 사람이고 싶다. 우리 생을 이루는 중요한 것들은 결코 얼굴을 드러내지 않는 법이니까.

2001년 9월 11일을 돌이켜보며

몇 년이 흐른 지금에야 나는 그 일에 대해 쓸 수 있게 되었다. 사건이 일어난 당시, 나는 사람들이 제각기 테러가 불러온 결과를 곱씹을 기회를 갖는 게 옳다고 믿었기에 그에 관한 언급을 피했다.

비극이 어떤 면에서는 긍정적 결과를 불러오기도 한다는 것을 받아들이기는 쉽지 않다. 월드트레이드센터가 무너지며 그 밑에 수천 명이 묻히는, SF영화에나 나올 법한 장면을 경악 속에서 지켜보며 우리가 느낀 것은 두 가지였다. 첫째는 눈앞에 벌어지고 있는 일에 대한 무력감과 공포였고, 둘째는 세상이 다시는 예전 같지 않으리라는 예감이었다.

물론, 세상은 예전 같지 않을 것이다. 하지만 이렇게 오랜 후에 무슨 일이 일어났는지 돌이켜보아도, 여전히 그 모든 사람들의 죽음이 헛되이 느껴지는가? 월드트레이드센터의 파편 아래에서 죽음과 먼지, 구부러진 철근 말고 다른 무엇을 찾을 가능성은 정말로 없는 것일까?

누구나 살면서 피해갈 수 없는 비극과 맞닥뜨리는 때가 있다. 살고 있는 도시가 파괴되거나, 아이가 먼저 세상을 떠나거나, 근거 없는 비난을 받으며 억울한 일을 당하거나, 갑자기 불치의 병에 걸리기도 한다. 삶은 위기의 연속이며, 이 사실을 망각한 사람은 운명이 준비한 도전에 무방비상태로 맞서게 된다.

고통에 직면할 때마다 우리가 할 수 있는 일은 오직 일어난 사건의 의미를 묻고 두려움을 극복하고 다시 일어설 준비를 하는 것뿐이다.

고통과 위기가 닥치면, 우선 상황을 있는 그대로 받아들여야 한다. 그런 감정을 우리와는 아무 상관 없는 것처럼 대해서도 안 되고, 매사 자책하던 것처럼 벌을 받는 거라고 여겨서도 안 된다.

월드트레이드센터의 잔해 속에 파묻혀 있던 사람들은 당신과 나와 하나도 다를 바 없는 이들이었다. 안정된 삶을 살던 사람, 불행했던 사람, 꿈을 실현했거나 혹은 아직 성장을 위해 노력하던 사람, 집에 기다리는 식구가 있는 사람, 거대 도시에서의 외로움 속에서 절망에 빠진 사람. 미국인, 영국인, 독일인, 브라질인, 일본인 등 전세계 곳곳에서 온 사람들이 불가해한 하나의 운명 아래 묶여 그날 아침 아홉시경 같은 장소에 있었다. 누군가에게 그곳은 즐거운 곳이었을 테고 또 누군가에게는 중압감을 주는 장소였을 것이다. 그러나 그 두 빌딩이 무너졌을 때 죽은 것은 그들뿐만이 아니었다. 우리 모두의 일부가 그날 죽었고, 세상은 더 좁아졌다.

물질적인 것이든 정신적인 것이든 심리적인 것이든, 거대한 상실과 마주할 때, 우리는 현자의 가르침을 기억해야 한다. 인내, 그리고 삶의 모든 것은 한시적이라는 깨달음이 바로 그것이다. 그런 관점에서 삶의 가치를 새로운 눈으로 바라보면 어떨까? 세상이 다시 안전한 곳이 되지 못한다면, 적어도 수년 안에 그것이 불가능하다면, 이 변화를 늘 하고 싶었지만 용기를 내지 못했던 일을 할 기회로 삼지 못할 이유는 또 무엇인가. 2001년 9월 11일 아침의 월드트레이드센터. 그 안에 있던 사람들 중에서도, 한마디로 그것이 안전한 직업이고, 충분한 노후 연금을 보장할 자리였기 때문에, 자신의 의지에 반해 좋아하지 않는 일을 억지로 하며 어울리지 않는 경력을 쌓고 있는 사람들은 또 얼마나 많았을까.

9·11은 세상에 큰 변화를 가져다준 사건이었고, 월드트레이드센터의 잔해 속에 묻힌 사람들은 지금 우리로 하여금 우리 삶과 가치를 되묻게 하고 있다. 빌딩이 무너지며 우리의 꿈과 희망도 함께 묻혔다. 그러나 동시에, 그 사건은 우리에게 새로운 지평을 열어 각자 삶의 의미를 되돌아보게 했다.

독일 드레스덴 폭격 직후 있었던 일이다. 한 남자가 세 명의 인부가 일하고 있는 폭격 현장을 지나쳐가고 있었다.

"거기서 뭐 하세요?"

남자가 물었다.

첫번째 인부가 돌아서서 말했다.

"안 보여요? 돌 치우고 있잖아요!"

두번째 인부는 이렇게 말했다.

"안 보여요? 돈 벌고 있잖아요!"

"안 보여요?" 세번째 인부가 말했다. "교회를 다시 짓고 있잖아요!"

세 인부가 각자 맡은 일을 하고 있었지만, 자신의 삶과 노동의 진정한 의미를 알고 있는 이는 그중 오직 한 사람뿐이었다. 2001년 9월 11일 이후의 세상에서 우리 모두가 각자 감정의 잔해를 털고 일어날 수 있기를, 그리하여 늘 꿈꿔왔지만 감히 엄두조차 낼 수 없던 마음속 교회를 다시 지어보기를 간절히 바라보자.

신의 표지

이사벨리타가 들려준 이야기다.

글을 읽지 못하는 한 아랍 노인이 매일 저녁 간절히 기도를 올렸다. 한동안 그 모습을 지켜보던 규모가 큰 대상을 거느린 부자가 그를 불렀다.

"자네는 어쩌면 그리 간절하게 기도를 드릴 수 있는가? 글도 읽지 못하는 사람이 신이 있다는 건 어떻게 알았고?"

"어르신, 전 잘 읽을 수 있답니다. 위대한 하느님 아버지께서 쓰시는 건 다 읽지요."

"어떻게?"

"어르신께선 먼 곳에서 온 편지를 받으면 누구한테서 온 건지 어떻게 아시죠?"

미천한 노인이 부자에게 물었다.

"그야 글씨체를 보면 알지."

"보석을 받으시면 누가 만든 건지는 무엇으로 알아보십니까?"

"세공장이가 한귀퉁이에 이름을 새겨넣지 않느냐."

"천막 근처에서 동물 움직이는 소리를 들으면 양인지, 말인지, 소인지 어떻게 아십니까?"

"발걸음 소리를 듣고 아는 게지."

부자는 영문을 모르겠다는 듯 대답했다.

신앙심 깊은 노인은 부자를 밖으로 데리고 나가 하늘을 가리켜 보였다.

"어르신, 저 위에 씌어진 것도, 이 아래 사막도 사람의 손이 만들거나 쓴 것이 아니랍니다."

오늘이
아름다운 이유

삶이란 자신의 신화를 이루는 것을 목표로 하는, 긴 자전거 경주와도 같은 것이다. 고대 연금술사들의 말에 의하면 그것이야말로 이 땅에 태어난 인간의 진정한 임무다.

출발선상에서 우리는 나란히 서서 우정과 열정을 나눈다. 그러나 경주가 진행됨에 따라 최초의 행복은 빛을 잃고, 피곤과 권태, 자신의 능력에 대한 의심 등 정말 어려운 일들이 펼쳐진다. 얼마 지나지 않아 우리는 몇몇 친구들이 사실은 목표를 포기했음을 알게 된다. 그들은 단지 길 한가운데서 멈출 수 없기 때문에 마지못해 페달을 밟고 있는 것이다. 그들 중 상당수는 '틀에 박힌 일상'이라는 이름의 지원차량 곁에서 페달을 밟으며, 옆사람들과 수다를 떤다. 길의 아름다움과 도전은 안중에도 없다.

우리는 결국 그들을 뒤로하고 고독과 마주하게 된다. 낯선 길목이 나타나기도 하고, 자전거가 문제를 일으키기도 한다. 넘어져도 가까이서 도와줄 사람이 없어 몇 차례 고생하고 나면, 이 모든 노력이 대체 무슨 소용인가 자문하기도 한다.

물론 거기에는 그럴 가치가 있다. 그러니 포기해서는 안 된다. 신학자이자 신부인 앨런 존스는 이 장애를 극복하기 위해 네 가지 보이지 않는 힘이 필요하다고 했다. 사랑과 죽음, 힘과 시간이 그것이다.

우리는 사랑해야 한다. 우리 역시 신에게서 사랑받는 존재이기 때문이다.

삶을 완전히 이해하기 위해 우리는 죽음을 인식해야 한다.

성장하기 위해 우리는 노력해야 한다. 그러나 그 투쟁의 과정을 통해 얻은 힘에 속지 말아야 한다. 힘이라는 것이 얼마나 덧없는지 우리는 익히 알고 있으니까.

마지막으로 우리 영혼이, 비록 영원불멸하다 해도, 지금 이 순간은 시간이라는 그물에 갇혀 있다는 것을 받아들여야 한다. 그러나 그 시간이라는 그물에는 한계와 더불어 가능성 역시 존재한다.

그러므로 고독한 자전거 경주가 계속되는 동안, 여유를 가지는 동시에 매 초를 소중히 하고, 필요한 순간에는 휴식을 취하고, 언제나 신의 빛이 비추는 방향을 향해 나아가고, 두려운 순간이 닥치더라도 포기하지 말아야 한다.

그 네 가지 힘을 해결해야 할 과제처럼 받아들여선 안 된다. 그것들은 누군가가 통제할 수 있는 것이 아니기 때문이다. 우리는 그저 받아들이고, 그것들로 하여금 우리가 배워야 할 것들을 가르치도록 해야 한다.

우리는 우리를 모두 품을 만큼 넓고, 우리 마음속에 담을 수 있을 만큼 작은 우주 안에 거하고 있다. 사람의 영혼 속에는 세계의 혼과 지혜의 침묵이 깃들어 있다. 목표를 향해 페달을 밟으며 우리는 늘 자신에게 물어야 한다. '오늘 기억해야 할 것은 무엇일까?' 해가 보이는 날에도, 비가 내린다 해도 기억해야만 한다. 언젠가 먹구름은 사라지리라는 걸. 구름이 걷히면 언제나처럼 해는 그 자리에 나타난다. 그것은 결코 사라지지 않는다. 외로울 때, 이것을 반드시 기억해야 한다.

힘겨울 때면 잊지 말도록 하자. 인종, 피부색, 사회적 지위, 종교, 문화는 각각 달라도 모두가 똑같은 상황에 부딪힌다는 것을. 그런 순간을 긍정적으로 받아들일 수 있도록 이집트의 수피 제사장 둘 눈이 쓴 아름다운 기도문이 있다.

신이시여, 동물들의 소리에, 나무들이 속삭이는 소리에, 물결이 찰랑거리는 소리에, 새들이 지저귀는 소리에, 바람이 부는 휘파람 소리에, 천둥이 치는 소리에 귀 기울일 때 저는 하나이신 당신이 존재하시는 증거를 봅니다. 저는 느낍니다. 당신은 가장 큰 힘, 전지전능하고 가장 지혜롭고 가장 정의로우신 분이라는 것을.

신이시여, 지금 제가 겪고 있는 고난을 통해 당신의 존재를 느낍니다. 신이시여, 당신의 만족이 제 만족이게 하시고, 아비가 아들을 볼 때 기꺼워하듯 제가 당신의 기쁨이게 하소서. 고요함과 확신 속에서 당신을 기억하게 하소서, 제가 당신을 사랑한다고 차마 말하지 못하는 그 순간에도.

인간 존재의 흥미로움

한 남자가 내 친구 제이미 코언에게 물었다.

"사람의 가장 우스운 점은 뭐라고 생각하십니까?"

코언이 대답했다.

"모순이죠. 어렸을 땐 어른이 되고 싶어 안달하다가도, 막상 어른이 되어서는 잃어버린 유년을 그리워해요. 돈을 버느라 건강 따위는 안중에도 없다가도, 훗날 건강을 되찾는 데 전 재산을 투자합니다. 미래에 골몰하느라 현재를 소홀히 하다가, 결국에는 현재도 미래도 놓쳐버리고요. 영원히 죽지 않을 듯 살다가 살아보지도 못한 것처럼 죽어가죠."

죽은 후의 세계 일주

가끔 이런 생각을 할 때가 있었다. 세계 곳곳에 우리의 흔적을 조금씩 남겨두면 무슨 일이 일어날까. 언젠가 나는 도쿄에서 머리칼을 잘랐고, 노르웨이에서는 손톱을 잘랐고, 프랑스에서는 산속에서 피를 흘린 적이 있다. 내 첫 책인 『지옥의 보고서』에서도 잠시 다룬 주제이기도 하다. 우리 몸의 일부를 세계 도처에 뿌려두면 어떨까. 만약 다시 태어나게 되면 낯익은 무언가를 찾지 않을까. 그런데 최근 기 바레라는 기자가 〈르 피가로〉 지에 쓴 기사를 통해 2001년 6월 이런 생각을 실행에 옮긴 사람이 있다는 것을 알았다.

기사의 주인공은 베라 앤더슨이라는 미국 여성이었다. 앤더슨은 평생을 오리건 주 메드퍼드에서 보냈다. 나이가 들어 그녀는 뇌졸중으로 고생했고, 심장병이 폐기종으로 발전해서 여생을 밀폐된 방에 갇혀 산소호흡기에 의지한 채 보냈다. 병 자체도 고통스러웠지만, 정년퇴직만 하면 세계를 돌아볼 꿈으로 돈을 모아왔기에 운명은 더욱 가혹하게만 느껴졌다.

베라는 남은 나날을 아들 로스 곁에서 보내고자 콜로라도로 옮겨 갔다. 거기서 그녀는 한번 떠나면 돌아올 수 없는 마지막 여행을 앞두고 한 가지 결심을 하게 된다. 살아서는 내 나라조차 제대로 여행할 수 없었지만, 죽어서는 세계를 돌아보리라.

아들 로스는 가까운 변호사를 찾아가 어머니의 유서를 공증받았다. 베라는 화장을 해달라고 했다. 그것만으로는 특별할 게 없다. 그러나 유언장에는 그외에도 베라의 유골을 241개의 작은 주머니에 넣어 미국 50개 주와 전세계 19개국의 우체국 국장 앞으로 보내달라고 적혀 있었다. 그렇게 해서 적어도 그녀 몸의 일부는 결국 그녀가 항상 꿈꿔온 곳들을 가볼 수 있게 된 것이다.

베라가 죽고 나서 로스는 아들로서 할 수 있는 최대의 경의를 담아 어머니의 마지막 소원을 이뤄주었다. 우편물 하나하나에 그는 어머니를 고이 묻어달라고 부탁하는 편지를 넣었다.

베라 앤더슨의 유골을 받은 사람들은 한결같이 로스의 청을 정중히 들어주었다. 지구상 곳곳에 조용한 공감대가 형성되었다. 생면부지의 따뜻한 사람들이 고인이 꿈꾸던 여행지에서 저마다 다른 형식의 장례식을 치러주었다.

그렇게 베라의 유골은 볼리비아의 티티카카 호수에 고대 아이마라 전통에 따라 뿌려지기도 했고, 스톡홀름의 궁전 앞 강에, 태국의 차오프라야 강둑에, 일본의 신사에, 남극의 빙하에, 사하라의 사막에 뿌려졌다. 기사에 특정 국가명이 밝혀지지 않은 남아메리카 어느 고아원의 수녀는 정원에 재를 뿌리기 전에 일주일 동안 그녀를 위해 기도를 드리고, 고인을 고아원 아이들을 위한 일종의 수호천사로 모셨다.

로스 앤더슨은 다섯 개 대륙, 모든 인종과 모든 문화권으로부터 그의 어머니의 마지막 소원을 존중해준 사람들의 사진을 받았다. 타인을 전혀 배려하지 않는 오늘의 분열된 세상에서 베라 앤더슨의 마지막 여행은 우리를 희망에 부풀게 한다. 아직도 우리 인간들의 영혼에 존경과 사랑과 관용이 남아 있다는 것을 보여주기 때문이다. 비록 그들이 우리와 먼 곳에 떨어져 사는 이들일지라도.

변하지 않는 가치

카산 자이드 아메르가 들려준 이야기다.

한 강사가 강의를 시작하기에 앞서 이십 달러짜리 지폐를 들고 물었다.

"이 이십 달러짜리 지폐를 갖고 싶은 분 있습니까?"

여러 명의 손이 올라가는 것을 보고 강사가 말했다.

"드리기 전에 할 일이 좀 있습니다."

그는 지폐를 구겨 뭉치고는 말했다.

"아직도 이 돈 가지실 분?"

사람들이 다시 손을 들었다.

"이렇게 해도요?"

그는 구겨진 돈을 벽에 던지고, 바닥에 떨어뜨리고, 욕하고, 발로 짓밟았다. 이제 지폐는 더럽고 너덜너덜했다. 그는 같은 질문을 반복했고 사람들은 다시 손을 들었다.

"이 장면을 잊지 마십시오."

그가 말했다.

"내가 이 돈에 무슨 짓을 했든 그건 상관없습니다. 이것은 여전히 이십 달러짜리 지폐니까요. 우리도 살면서 이처럼 자주 구겨지고, 짓밟히고, 부당한 대우를 받고, 모욕을 당합니다. 그러나 그 모든 것에도 불구하고, 우리의 가치는 변하지 않습니다."

두 개의 보석

가끔 신께서는 우리에게 내렸던 축복을 거두어가십니다. 당신이 은혜를 베풀고 요구를 들어주기만 하는 대상이 아님을 이해시키기 위해서입니다. 그러나 신께서는 시험을 견디는 우리 영혼의 한계를 아시며, 결코 그 선을 넘어서지 않습니다.

그러므로 절대로 이렇게 말해서는 안 됩니다. "하느님이 나를 저버리셨어." 신께서는 결코 그런 분이 아닙니다. 종종 우리가 그분을 저버림에도 불구하고 말입니다. 신께서는 우리를 시험에 들게 하더라도 항상 충분한 은혜를 베푸십니다. 아니, 나는 감히 이렇게 말하렵니다. 우리가 시험을 통과하고도 남을 만큼의 은혜를 베푸신다고.

—스페인 부르고스의 시토 수도회 수도사 마르코스 가리아

내 독자 카밀라 갈방 피바가 보내온, 〈두 개의 보석〉이라는 감동적인 이야기를 함께 나누고자 한다.

믿음 깊은 랍비가 현명한 아내와 사랑스러운 두 아들과 함께 행복하게 살고 있었다. 그런데 그가 일 때문에 여러 날 집을 떠나 있는 동안 두 아들이 끔찍한 사고로 목숨을 잃고 말았다.

아이들의 어머니는 홀로 말없이 고통을 감수했다. 심지가 굳고 신앙 깊은 그녀는 충격을 의연하고 용감하게 이겨냈다. 그녀는 이제 이 비극적인 소식을 남편에게 어떻게 전해야 할까를 고민했다. 남편 역시 신앙 깊은 사람이었지만 심장병으로 여러 번 병원 신세를 진 적이 있는 터라 그가 비보를 듣고 숨지는 일이 벌어질까 두려웠던 것이다.

무엇이 최선일지 신께 묻는 수밖에 도리가 없었다. 간절히 기도하던 그녀는 남편이 돌아오기 전날 밤 은혜로운 대답을 들었다.

여행에서 돌아온 랍비는 아내를 포옹하며 두 아들의 안부를 물었다. 아내는 남편에게 아이들 걱정은 말고 우선 목욕을 한 후 쉬라고 말했다.

얼마 뒤, 부부는 점심 식탁에 앉았다. 아내의 물음에 남편은 여행지에서 경험한 일들을 자세히 들려주었다. 그는 신의 자비로움을 칭송하며 다시 아들들의 안부를 물었다.

아내가 어딘지 모르게 어색하게 대답했다.

"애들 걱정은 마세요. 나중에 얘기할게요. 먼저 당신께 물어볼 게 있어요. 이 어려운 문제를 풀게 좀 도와주세요."

남편이 근심스레 물었다.

"무슨 일이오? 당신 걱정거리가 있는 것 같구려. 솔직히 털어놔 봐요. 하느님께서 도와주신다면 우리가 함께 풀지 못할 문제는 없을 거요."

"당신이 안 계시는 동안 한 친구가 찾아와 값을 매길 수 없을 만큼 귀중한 보석 두 개를 맡겨두고 갔어요. 지금껏 본 적이 없을 만큼 아름답기 그지없는 보석이었지요! 그런데 친구가 그것들을 돌려달라고 하는데 그러고 싶지가 않아요. 아까워서 못 주겠어요. 어쩌면 좋죠?"

"당신 행동을 정말 이해하기 어렵구려. 당신은 허영심 없는 여자인 줄 알았는데!"

"그건 그런 보석을 보지 못했을 때의 얘기고요! 그 보석들을 잃는다는 생각만으로도 못 견디겠어요."

랍비는 완고하게 말했다.

"자기 소유가 아닌 걸 잃을 수는 없는 법이오. 그 보석들을 가지고 있겠다는 건 훔치겠다는 말이나 다름없소. 돌려줍시다. 당신이 상실감을 견딜 수 있도록 내가 도우리다. 오늘 당장 그렇게 합시다."

"여보, 보석들은 돌려주었어요. 실은 이미 여기에 없답니다. 그 두 개의 귀중한 보물은 우리 아들들이에요. 하느님께서 우리의 품에서 그애들을 데려가셨어요. 당신이 없는 사이 데리러 오셨어요. 아이들은 떠났어요……"

랍비는 아내가 무슨 이야기를 하는지 그제야 깨달았다. 그는 아내를 껴안았고, 둘은 많은 눈물을 쏟았다. 랍비는 그 메시지를 이해했고, 그날부터 부부는 함께 상실을 극복하기 위해 노력했다.

배고픈 말

타인에게 엄격한 것은 인간 본성의 일부다. 화살이 우리 쪽을 향하면 우리는 핑곗거리를 찾아내거나 잘못을 다른 사람의 책임으로 미루기도 한다. 그런가 하면 이런 이야기도 있다.

한 전령이 급한 임무를 띠고 먼 도시로 파견되었다. 그는 안장을 얹고 말을 달리기 시작했다. 전령이 가축을 먹일 만한 숙소 여러 곳을 그냥 지나쳐가자 말이 생각했다.

'내가 뭘 먹을 만한 곳에서 멈추질 않네. 나를 말이 아니라 인간으로 대접하는 것인가. 그렇다면 나도 전령처럼 다음 도시에서 식사를 하게 되겠군.'

그러나 둘은 대도시를 하나둘 스쳐갔고, 쉴 새 없이 달리고 또 달렸다. 그러자 말이 속으로 말했다.

"오호라, 나를 사람이 아니라 천사로 취급하나보군. 천사는 먹지 않잖아.”

마침내 목적지에 도달했을 때, 말은 마구간으로 보내졌다. 거기서 말은 건초를 게걸스레 먹어치우며 혼잣말을 했다.

“평소와 조금 다르다고 해서 나는 왜 모든 게 변했다고 믿었을까? 난 사람도 천사도 아냐. 그저 배고픈 한 마리 말일 뿐.”

실수하라, 즐겁게

"신은 위대한 예술가다. 그는 기린과 코끼리, 개미를 창조했다. 그는 그 어떤 양식도 따르려 한 적이 없다. 그저 그가 느끼는 대로 했을 뿐이다."

파블로 피카소의 말이다.

길은 가고자 하는 우리의 열망이 만든다. 그러나 꿈을 향해 길을 떠나는 순간, 우리는 모든 일을 올바르게 해야 한다는 두려움에 사로잡히게 된다.

우리 모두가 서로 다른 삶을 영위하고 있다면 '올바르다'는 기준은 대체 누가 세우는 것일까?

신이 기린과 코끼리와 개미를 만들었다면, 그리고 우리가 신의 뜻대로 살려 한다면, 왜 굳이 하나의 모범을 따라야만 하는 걸까? 타인이 이미 저지른 어리석음을 우리로 하여금 반복하지 않도록 하는 것이 모범이지만, 또한 그것은 대개 다른 이들이 했던 대로 따라하게 하는 족쇄이기도 하다.

일관성을 갖는다는 것은 넥타이를 양말에 맞춰 매려고 애쓰는 것과 같다. 그것은 우리가 오늘 가졌던 의견을 내일도 그대로 고수해야 함을 의미한다. 그렇게 세상이 돌아간다면 어떨까?

누군가에게 해를 입히는 것이 아니라면 매순간 당신의 의견을 바꾸어보라. 부디 자기모순에 빠지는 것을 부끄러워하지 마라. 그것은 우리의 권리이다. 다른 이들이 어떻게 여기건 상관하지 마라. 우리가 어떻게 행동하든 간에 그들은 그들 방식으로 생각하게 될 테니까.

우리가 어떤 행동을 하려고 마음먹으면 정도를 넘어서는 일이 생기기도 한다. '오믈렛을 만들기 위해선 달걀부터 깨뜨려야 한다'는 오래된 속담처럼. 예상치 못한 갈등이 일어나는 것이다. 이런 갈등으로부터 상처가 생기는 건 지극히 당연한 일이다. 그러나 흉터는 남겠지만 아픔은 지나가게 마련이다.

흉터는 일종의 축복이다. 흉터는 생애 내내 우리를 따라다니며 많은 도움을 준다. 살아가는 어느 순간 자기만족을 위해서든 혹은 다른 무언가를 위해서든 과거로 돌아가고자 하는 욕구가 커지려 할 때마다 그 흉터를 가만히 들여다보기만 하면 되니까.

흉터는 우리에게 구속을 떠올리게 하고, 갇힌다는 것에 대한 공포를 상기시켜준다. 그리고 우리로 하여금 계속 나아가게 한다.

그러니 긴장을 늦추라. 우주가 우리를 감싸안고 앞으로 나아가게 하고, 우리 자신에 대해 놀라는 기쁨을 발견하라. "하느님께서 세상의 미련한 것들을 택하사 지혜 있는 자들을 부끄럽게 하려 하셨다"고 사도 바울이 말하지 않았던가.

빛의 전사는 종종 어느 특정 순간들이 반복된다는 것을 알아차린다. 그는 종종 같은 문제에 부딪히고, 앞으로 나아가는 것이 불가능하다고 생각하고, 어려운 상황들을 돌이켜보며 낙심한다. 그는 자신의 마음을 향해 말한다.

"전에도 이랬는데."

그러면 그의 마음이 대답한다.

"맞아, 전에도 겪었던 일들이야. 하지만 지금껏 한 번도 극복한 적이 없었잖아."

그 순간 빛의 전사는 깨닫는다. 이 반복되는 경험이 하나의 목표를 가지고 있음을, 이를 통해 그가 아직 배우지 못한 것을 가르치려는 것이라는 걸. 그는 매번 반복되는 전투에서 새로운 해결책을 찾는다. 그리고 자신의 실패를 실수로 여기지 않고, 진정한 자아를 만나는 길로 이끄는 발걸음으로 여긴다.

영성을 추구할 때 빠지기 쉬운 함정들

영적인 것에 관심을 가지기 시작하면 엉뚱한 일이 벌어진다. 타인의 영적 추구에 대해 옹졸해지는 것이다. 나는 매일 잡지와 이메일, 편지, 팸플릿 등을 받는다. 저마다 이 길이 저 길보다 낫다고 입증하려는 내용들이고, '깨달음'에 이르기 위해 따라야 할 일련의 규칙들이 열거되어 있다. 그런 정보들이 우후죽순 늘어나는 까닭에 몇 가지 위험한 지점들에 대해 이야기해보려 한다.

근거 없는 믿음 1. 마음이 모든 것을 치유할 수 있다

이건 사실이 아니다. 이런 믿음에 대해 한 가지 일화를 예로 들어보겠다. 몇 년 전, 영적 추구에 심취해 있던 한 친구가 열이 나고 아프기 시작했다. 그녀는 밤새 몸을 '심령화'하느라 자신이 아는 모든 기술을 동원했다. 순전히 정신의 힘만으로 스스로를 치유하기 위해서였다. 다음날 걱정이 된 자녀들이 의사에게 가기를 권했지만, 그녀는 영혼을 '순화중'이라며 거부했다. 더는 고통을 참을 수 없는 지경이 되어서야 그녀는 병원에 가는 것에 동의했고, 맹장염으로 응급수술을 받았다. 그러니 각별히 조심하기 바란다. 가끔은 신께 우리를 의사에게 안내해달라고 부탁드리는 편이 스스로 치유하는 것보다 낫다.

근거 없는 믿음 2. 육식은 깨달음을 멀리하게 한다

당신이 특정 종교의 신자라면, 말할 것도 없이 그 종교가 정한 율법을 따라야 할 것이다. 예를 들면, 유대교나 이슬람교도는 돼지고기를 먹지 않는다. 그리고 그들에게 그 율법을 실천하는 것은 신앙의 일부다.

오늘날 세계는 '음식을 통한 순화'의 물결로 넘쳐나고 있다. 급진적인 채식주의자들은 고기를 먹는 사람들을 마치 그 동물을 직접 도살이라도 했다는 듯이 바라본다. 그럼 식물에게는 생명이 없는가? 자연은 끊임없는 삶과 죽음의 순환을 되풀이하고 있고, 우리 역시 언젠가는 땅을 먹일 거름이 될 것이다. 그러니 특정 음식을 금지하는 종교에 속해 있지 않다면 당신의 신체기관이 요구하는 음식은 무엇이든 먹으라.

러시아의 신비사상가 구르드지예프는 젊은 시절 훌륭한 스승의 눈에 들려고 채식만을 고집했다. 그런데 어느 날 밤, 스승은 그에게 왜 그렇게 엄격한 식이요법을 고집하느냐고 물었다.

"몸을 깨끗하게 유지하기 위해서입니다."

그의 대답에 스승은 크게 웃으며 당장 그만두라고 충고했다. 그렇게 계속하다간, 깨끗하긴 하지만 삶과 여행이 주는 도전을 감당할 수 없는 온실 속 화초가 될 거라고 말하면서.

예수는 이렇게 말했다.

"사람을 더럽히는 것은 사람의 입으로 들어가는 것이 아니라, 그 입에서 나오는 것이다."

근거 없는 믿음 3. 신의 본질은 희생이다

많은 사람들이 희생의 길을 찾는다. 다음 생에서 행복을 찾기 위해 이 세상을 고통스럽게 보내야 한다고 믿으며. 그러나 이 세상이 신에게 축복받은 곳이라면, 삶이 우리에게 아무 대가 없이 선사한 기쁨을 왜 누리려 하지 않는가? 우리는 십자가에 못 박힌 예수의 모습에 너무나 익숙해진 나머지, 그의 고통이 단지 사흘에 불과했음을 곧잘 잊어버리고 만다. 마지막 사흘을 제외한 평생의 시간 동안 그는 여행을 하고, 사람들을 만나고, 먹고 마시고, 사랑의 말씀을 전하며 다녔다. 가나의 혼인잔치에서 포도주가 떨어지자, 예수는 물을 포도주로 바꾸는 기적을 행했다. 그것이 그가 행한 첫번째 기적이었고, 딱히 '정치적으로는 올바른' 행위는 아니었다. 그러나 내가 생각하기에, 그가 이런 기적을 행한 것은 행복하고, 즐기고, 노는 데 아무런 잘못이 없다는 걸 보여주기 위해서였다. 다른 사람들과 함께할 때, 신은 우리에게 더 가까워진다. 무함마드는 말했다. "우리의 불행은 우리의 친구들까지 불행하게 만든다." 오랜 수도와 금욕에 지쳐 익사할 뻔했던 붓다는 양치기가 그의 목숨을 구해준 후, 하나의 깨달음을 얻었다. 스스로 고립시키고 희생하는 것이 우리를 삶의 기적으로부터 멀어지게 한다는 깨달음을.

근거 없는 믿음 4. 신에게 이르는 길은 오직 하나다

이것은 모든 근거 없는 믿음 중 가장 위험하다. 바로 거기서 모든 '위대한 신비'의 베일을 벗기려는 해석과 종교전쟁과 우리 이웃을 멋대로 재단하는 잣대 따위가 비롯되는 것이다. 우리는 종교를 선택할 수 있다. 내가 가톨릭 신자인 것도 나의 선택이다. 우리는 형제가 다른 종교를 선택했다 해도 이해해야 한다. 그도 결국은 우리가 영적 수련을 통해 찾고 있는 빛의 정점에 도달할 것이니까.

마지막으로, 우리의 결정에 대한 책임을 사제나 랍비, 이맘*에게 미룰 수 없다는 점을 기억하자. 우리는 각자의 행동을 통해 깨달음으로 가는 길을 닦는 사람들이니.

* 아랍어로 '지도자' '모범이 될 사람'을 의미함.

가장 가치 있는 일

세상을 뜨기 얼마 전, 장인어른은 식구들을 한자리에 불러모았다.

"죽는다는 것은 그저 여행에 불과할 따름이야. 홀가분한 마음으로 그 여행을 떠나고 싶구나. 그러니 걱정들 마라. 살아가면서 가장 가치 있는 일은 남을 돕는 거라는 표지를 보내주마."

장인은 돌아가신 뒤에 당신을 화장해서 그 유골을 아르포아도르 해변에 뿌려달라고 했다. 그러는 동안 카세트리코더로 당신이 제일 좋아하는 노래를 틀어달라는 말과 함께.

그리고 이틀 후 장인어른은 세상을 떠났다. 친구가 상파울루에서 화장을 준비해주었다. 우리는 리우데자네이루로 돌아와 카세트리코더와 카세트테이프, 유골함을 들고 아르포아도르 해변으로 갔다. 바닷가에서 보니 유골함 뚜껑에 나사가 박혀 있어 아무리 해도 열리지 않았다.

주변에는 걸인 한 명 말고는 아무도 없었다. 낑낑거리는 우리를 보고 그가 다가와 물었다.

"무슨 문제라도 있으세요?"

처남이 대답했다.

"드라이버가 없어서 열리질 않네요. 이 안에 아버지 유골이 들어 있거든요."

"좋은 분이셨나보군요. 옛소, 여기서 방금 하나 주웠소."

걸인은 처남에게 드라이버를 건네주었다.

부시 대통령, 고맙습니다*

위대한 지도자 조지 W. 부시 대통령, 고맙습니다.

만인에게 사담 후세인이 얼마나 위험한 인물인지 알려주었으니 고마운 일입니다. 하마터면 우리 모두는 그가 자국민과 쿠르드 민족, 이란인들에게 화학무기를 사용했다는 걸 잊을 뻔했습니다. 후세인은 피에 굶주린 독재자이고, 오늘날 이 세계에서 가장 두드러진 악의 화신입니다.

그러나 이것이 당신에게 고마움을 표하는 유일한 이유는 아닙니다. 2003년의 첫 두 달 동안 당신은 다른 중요한 일들을 보여주었으니, 제가 감사드릴 만한 분입니다.

어렸을 적 배운 시를 기억하며 당신께 감사의 말을 드리려 합니다.

---

* 이 글은 2003년 3월 8일 영어 웹사이트에 처음 실렸다. 이라크 전쟁 발발 두 주 전이었다. 당시 한 달 동안 전쟁에 관해 가장 널리 공개된 글이었고, 전세계 5억 명의 독자들이 이 글을 읽었다.

터키 민족과 그들의 정부가 돈으로, 심지어 260억 달러라는 거금으로도 구매할 수 있는 대상이 아니라는 걸 만인에게 보여주셔서 고맙습니다.

위정자들의 선택과 민중의 바람 사이의 간극을 보여주셔서 감사합니다. 호세 마리아 아스나르도, 토니 블레어도 그들의 유권자들을 눈곱만큼도 염두에 두지 않는다는 걸, 혹은 그들에게 가치를 두지 않는다는 걸 만천하에 밝혀주셔서 고맙습니다. 아스나르는 스페인 국민 90퍼센트가 전쟁에 반대한다는 사실을 철저히 무시했고, 블레어는 지난 삼십 년 이래 최대 규모였던 시위에도 꿈쩍하지 않았지요. 토니 블레어로 하여금 한 대학생이 십 년 전에 작성한 엉터리 문서를 들고 의회에 들어가 '영국 정보국이 수집한 확실한 증거'라고 소개하게 해주셔서 고맙습니다.

당신은 증거자료와 사진을 지참한 국무장관 콜린 파월을 유엔 안전보장이사회로 파견했지요. 결국 일주일 후 이라크 무장해제의 책임자였던 한스 블릭스가 이 증거자료들을 공식적으로 부인하게 되었으니, 당신께 감사드려야 마땅합니다.

당신의 이런 자세 덕분에 프랑스의 외무장관 도미니크 드 빌팽은 유엔 총회에서 반전 발언을 해 박수갈채를 받았습니다. 내가 아는 한, 넬슨 만델라가 연설했을 때를 제외하고는 유엔 역사상 박수갈채가 터져나온 것은 그때가 처음이었습니다.

전쟁을 준비하는 당신의 그 모든 노력 덕에, 분열되기 십상인 아랍 국가들이 2월 마지막 주 카이로에서 열린 회담에서 한목소리로 이라크 침공을 규탄했습니다. 정말 고맙습니다.

"유엔이 이제 그 존재 의의를 보여줄 기회가 왔다"는 당신의 수사학적 발언에 감사를 드립니다. 당신의 그 말 덕분에 가장 주저하던 나라조차 이라크 침공에 반대 입장을 취하게 되었으니까요.

당신의 외교정책을 지지한 영국 외무차관 잭 스트로가 21세기에도 "윤리적으로 정당한 전쟁은 있을 수 있다"고 선언함으로써 국민의 불신임을 자초하도록 했으니 고마울 따름입니다.

통합되어가던 유럽에 불화의 씨를 뿌려주셔서 고맙습니다. 이것은 간과해서는 안 될 경고였습니다.

오늘날 극소수의 사람만이 할 수 있는 일을 성취해주셔서 고맙습니다. 당신은 지구상 모든 대륙의 수백만 사람들이 하나의 마음이 되어 싸우게 했습니다. 비록 그 싸움이 당신에게 대항하는 것이긴 하지만요.

우리의 목소리가 비록 아직 들리진 않을 만큼 미미할지라도 적어도 입 밖으로 나왔다고 느끼게 해주셔서 고맙습니다. 이것이 장차 우리를 강하게 할 것입니다.

당신의 결정에 반대하는 우리를 한결같이 무시해주셔서 감사합니다. 지구의 미래는 소외된 사람들의 것이니까요.

당신이 없었더라면 우리는 우리 자신의 힘을 조직화할 능력이 있음을 발견하지 못할 뻔했습니다. 그 발견이 이번에는 목적을 이루는데 도움을 주지 못했지만, 훗날 반드시 유용하게 쓰일 것입니다.

아무래도 전쟁의 북소리를 가라앉힐 길이 없어 보이는군요. 언젠가 한 유럽 왕이 침략자에게 이런 말을 했습니다.

"너의 아침을 즐겨라. 햇살이 네 병사들의 갑옷을 비추게 하라. 오늘 오후에는 내가 너를 물리칠 것이니."

우리에게 이런 경험을 허락해주셔서 고맙습니다. 이미 엎질러진 물을 되돌리게 하기 위해 당신은 익명의 사람들로 하여금 거리를 가득 메우도록 했습니다. 자신의 무력함을 느끼고 그로부터 배우고 변화하게 했으니 고맙고 또 고마운 일입니다.

그러니, 당신의 아침을 즐기십시오. 아직은 당신에게 주어진 그 영광을 즐기십시오.

우리에게 귀 기울이지 않고, 우리를 조금도 진지하게 여기지 않아주셔서 고맙습니다. 그러나 우리는 당신에게 귀 기울이고 있다는 것을 기억하십시오. 당신의 말을 잊지 않으리라는 것도.

위대한 지도자, 조지 W. 부시 대통령, 고맙습니다.

정말 고맙습니다.

지혜로운 투자

『어린 왕자』의 작가 앙투안 드 생텍쥐페리가 아프리카의 공군기지에 있을 때, 친구들을 모아 기금을 마련한 적이 있었다. 고향으로 돌아가고 싶어하는 모로코 사무관을 돕기 위해서였다. 천 프랑 정도의 돈이 모였다.

파일럿 중 한 명이 사무관을 카사블랑카로 데려다주고 돌아와 동료들에게 이야기했다.

"도착하자마자 최고급 식당으로 가서 팁을 펑펑 안기는 거야. 사람들한테 음료를 돌리고, 그 마을 아이들에게 죄다 인형을 사주더라구. 돈에 대한 관념이 정말 눈곱만치도 없는 친구더군."

"그 반대 아닌가."

가만히 듣고만 있던 생텍쥐페리가 말했다.

"그는 이 세상 최고의 투자 대상이 사람이란 걸 아는 친구야. 그렇게 돈을 쓰면서, 자기에게 일자리를 줄지도 모를 마을 사람들의 신임을 사는 거 아니겠어. 어쨌든 결국, 정복자만이 베풀 수 있는 것이지."

세번째 열정

지난 십오 년 동안 나는 세 가지 못 말리는 열정에 휩싸여 살아왔다. 그런 때는 뭘 읽어도 그 주제와 연관짓고, 강박적으로 그 이야기만 하고, 함께 열광할 사람을 찾고, 자나 깨나 그 생각뿐이다. 첫번째 열정은 컴퓨터를 샀을 때 찾아왔다. 나는 타자기를 던져버리고, 컴퓨터가 주는 자유를 만끽했다(지금 나는 프랑스의 한 도시에서 겨우 삼 파운드밖에 안 나가는 기계로 이 글을 쓰는 중이다. 지난 십 년 동안의 내 프로로서의 삶이 여기 들어 있고, 원하는 것이면 무엇이나 오 초 안에 찾아낼 수 있다).

두번째 열정은 처음 인터넷을 사용하면서 찾아왔다. 당시에도 인터넷은 이미 가장 큰 도서관들을 합친 것보다 더 광대한 지식의 보고였다.

그러나 세번째 찾아온 열정은 첨단 기술과는 아무런 관련이 없다. 그것은…… 활과 화살이다. 어렸을 적 나는 오이겐 헤리겔의 『활쏘기의 선(禪)』이라는, 궁도의 연마를 통한 정신의 여행을 묘사한 책에 깊이 매료된 적이 있다. 그때 받은 감동은 어느 날 피레네에서 한 궁수를 만날 때까지 내 잠재의식 어딘가에 머물러 있었다. 대화를 나누다 궁수가 내게 활과 화살을 빌려주었고 그때부터 나는 거의 하루도 빠짐없이 과녁을 향해 활을 쏘는 연습을 하고 있다.

브라질의 내 집에도 과녁을 만들고(손님이 올 경우, 오 분 안에 치울 수 있는 과녁이다) 프랑스에서는 산을 누비며 매일 야외 수련을 하는데, 무리해서 두 번이나 앓아누울 정도였다. 한번은 영하 6도의 혹한에 두 시간을 넘게 버티다가 저체온증에 걸렸고, 한번은 잘못된 자세 탓에 근육염증을 앓아서 올해 다보스에서 열린 경제포럼에도 강한 진통제를 복용하고야 참석할 수 있었다.

이런 매혹은 어디서 오는 걸까? 기원전 3만 년부터 존재해온 무기인 활과 화살을 들고 과녁을 쏘는 운동이 오늘날 무슨 실용성이 있겠는가. 그러나 처음 내 안의 열정을 일깨운 오이겐 헤리겔은 내가 말하고자 하는 바를 알고 있었다. 일상에도 적용할 수 있는 『활쏘기의 선』의 핵심구들을 소개한다.

긴장해야 할 때는, 오직 그것을 필요로 하는 곳에만 초점을 맞춰라. 힘을 아끼고, 활과 더불어 배우라. 과녁에 도달하기 위해서는 커다란 동작보다는 목표에 집중하는 것이 더 유용하다는 사실을.

스승은 내게 아주 뻑뻑한 활을 주었다. 나는 그에게 왜 나를 프로 취급 하느냐고 물었다. 그가 대답했다. "쉽게 시작하면 큰 도전에 응할 수 없습니다. 앞으로 맞닥뜨리게 될 어려움이 무엇인지 애초에 알아두는 편이 낫습니다."

오랫동안 나는 시위를 정확한 동작으로 당기지 못했는데, 어느 날 스승으로부터 호흡법을 배우고 나니 그렇게 수월할 수가 없었다. 왜 그렇게 오래 고쳐주지 않고 두었느냐고 묻는 내게 그가 답했다. "시작할 때 바로 호흡법을 가르쳐주었다면 그것을 대수롭게 여기지 않았을 겁니다. 이제는 내가 하는 말을 믿고, 정말 중요한 것으로 알고 연습할 거라고 믿습니다. 좋은 선생은 이런 방식으로 가르칩니다."

화살을 쏘는 순간은 본능적으로 감지된다. 그러나 그보다 먼저 활과 화살, 과녁을 제대로 이해해야 한다. 삶의 도전에 응할 때도, 완벽하게 움직이는 데도 직관은 필요하다. 완벽히 습득한 후에야 우리는 테크닉을 완전히 잊을 수 있는 것이다.

사 년 후, 내가 활쏘기를 완벽하게 터득하자 스승은 나를 축하해주었다. 나는 기쁨을 감추지 못하고 말했다. 이제 나도 길의 반은 온 거라고. "아니오." 스승이 대답했다. "예기치 못한 함정에 빠지지 않으려면, 길의 구십 퍼센트는 간 뒤에, 그것을 반이라고 생각하는 편이 옳습니다."

신을 섬기는 똑같은 방법

가톨릭 사제와 이슬람 청년을 포함해서 여럿이서 점심을 함께할 기회가 있었다. 웨이터가 쟁반을 들고 오자 이슬람 청년만 빼고 저마다 음식을 집어들었다. 청년은 코란에 엄격히 명시된 금식기간을 지키는 중이었다.

식사가 끝나고 자리에서 일어나는데, 동석했던 이들 중 하나가 참지 못하고 말했다.

"봤죠? 이슬람교도들이 얼마나 광신적인지! 당신들 가톨릭 신자들은 그렇지 않아 다행이에요."

"우리도 그런데요."

신부가 말했다.

"그 사람 저랑 똑같이 신을 섬기던걸요. 방법이 다를 뿐이죠."

그리고 이렇게 말을 맺었다.

"참 부끄러운 일이에요, 사람들이 서로를 가르는 차이점만을 본다는 건 말이죠. 좀더 애정을 가지면, 우리가 가진 공통점들이 먼저 보일 겁니다. 그것만으로도 이 세상의 문제가 반은 풀릴 거고요."

악마는 선행을 원한다

옴미아드 왕조의 제1대 칼리프이자 페르시아 시인 무아위야가 궁에서 잠을 자고 있었다. 그런데 낯선 남자가 그를 깨웠다.

"누구냐?"

무아위야가 물었다.

"나는 악마 루시퍼요."

사내의 대답이었다.

"그런데 여기서 뭘 하는 거요?"

"기도할 시간인데 아직 주무시고 계셔서 말이오."

무아위야는 어리둥절했다. 믿음이 없는 인간의 영혼을 찾아다니는 어둠의 왕자가 종교의 의무를 일깨워주다니.

"기억하시오."

루시퍼가 말했다.

"내가 빛의 천사로 태어났다는 사실을. 내게 일어났던 모든 일에도 불구하고 나는 내 기원을 잊지 못하오. 사람이 로마로, 예루살렘으로 여행할 수는 있어도 그의 마음속에는 항상 고향이 담겨 있지. 내 경우가 바로 그렇소. 나는 어렸을 때 나를 먹이고, 선한 업을 쌓으라고 가르친 나의 창조주를 여전히 사랑하고 있소. 내가 그분에게 반항한 것은 그분을 사랑하지 않아서가 아니오. 오히려 그 반대지. 그분을 너무 사랑한 나머지, 나는 그분이 아담을 만들었을 때 질투를 느꼈소. 그 순간 신에게 도전하고 싶었고, 그것이 올가미가 되어 나를 옭아맸지. 그럼에도 여전히 그에게서 받은 축복을 기억하오. 혹시 알겠소, 내가 선한 업을 쌓으면 다시 낙원으로 돌아가게 될지."

무아위야가 대답했다.

"당신 말을 믿을 수 없소. 당신은 세상의 많은 이들을 몰락시킨 존재가 아니오?"

"믿으셔야 하오." 루시퍼는 주장했다. "오직 전지전능한 신만이 창조하고 허물 수 있소. 신께서는 사람을 창조했을 때 그에게 욕망, 복수심, 동정과 두려움을 함께 심어주셨지. 그것들은 삶의 일부요. 그러니 모든 악을 나의 책임으로 돌리지 마시오. 나는 악을 비추는 거울일 뿐이니."

무아위야는 뭔가 석연치 않음을 알고 신께 자신을 일깨워달라고 간절히 기도하기 시작했다. 그는 루시퍼의 현란한 말솜씨에 넘어가지 않고 밤새 그와 싸우고 대화했다.

날이 밝자 루시퍼는 마침내 포기하고 고백했다.

"맞아. 당신이 옳아. 어제 오후에 당신을 깨우러 왔을 때 기도시간을 일깨운 건 당신을 신의 빛에 다가가도록 하기 위해서가 아니었어.

의무를 행하지 않으면 당신이 뉘우치게 되리라는 걸 잘 알고 있었지, 다음날 당신이 그 두 배는 더한 믿음으로 기도하고 회개하리라는 것도. 신의 눈에는 그런 기도, 당신의 사랑과 후회가 깃든 기도가 습관적으로 내뱉는 기도보다 수백 배는 더 소중할 거요. 결국 당신은 이전보다 더욱 성령으로 충만해지겠지. 그렇게 당신에 대한 신의 사랑은 깊어지고, 나는 당신의 영혼으로부터 더 멀어질 거고."

그러자 루시퍼는 사라지고 그 자리에 빛의 천사가 나타났다.

"오늘의 교훈을 절대 잊지 마시게."

천사가 무아위야에게 말했다.

"종종 악은 선의 전령으로 둔갑하고 나타나지. 그러나 그 뒤엔 언제나 더 큰 파괴를 도모하려는 저의가 도사리고 있다네."

그날도, 그다음 날도 무아위야는 참회와 눈물과 믿음을 다해 기도했다. 그리고 그의 기도는 신에게 천 배의 흡족함을 주었다.

얀테의 법칙

"마르타 루이제 공주를 어떻게 생각하십니까?"

노르웨이의 기자가 제네바 호숫가에서 나를 인터뷰하는 중에 물었다. 보통 나는 내 작품과 무관한 질문에는 대답을 하지 않는 편이다. 그러나 이 경우에는 호기심을 넘어서는 그럴 만한 이유가 있었다. 공주는 서른 살 생일에 입은 드레스에 자신에게 영향을 준 여러 중요 인사들의 이름을 새겨넣었는데, 그중에는 내 이름도 들어 있었다(아내는 정말 기발한 발상이라며 자신의 쉰 살 생일에 공주를 똑같이 따라했다. 한구석에는 '노르웨이 공주로부터 영감을 받아'라는 구절을 새겨넣었다).

"감성이 풍부하고 섬세하고 지적인 분 같습니다."

내가 대답했다.

"오슬로에서 운 좋게 그분을 만났지요. 공주님이 제게 부군을 소개해주셨어요. 그분도 저처럼 작가더군요."

나는 잠시 쉬었다가 다시 말을 이었다.

"그런데 이해하지 못할 점이 있어요. 공주의 남편이 된 후에 왜 노르웨이 언론은 그의 작품들을 비판하기 시작했죠? 전에는 상당히 긍정적인 평이 실렸다면서요."

그것은 질문이라기보다 도발에 가까웠다. 나는 이미 대답을 짐작할 수 있었다. 작품 평이 변한 이유는 시샘 때문이었다. 인간의 감정 중 가장 뒷맛이 씁쓸한.

기자는 그러나 그보다 더 철학적이었다.

"얀테의 법칙을 깼기 때문이죠."

나는 그런 법칙은 금시초문이었으므로 기자의 설명을 들었다. 그리고 여행을 계속하며 실제로 스칸디나비아 반도에 그 법칙에 대해 모르는 사람이 거의 없다는 걸 알게 되었다. 인류 문명과 더불어 존재해왔을 이 법칙이 공식적으로 적용된 것은 1933년 작가 악셀 산데모세의 소설 『도망자, 지나온 발자취를 다시 밟다』에 그것이 등장하면서부터였다.

얀테의 법칙은 스칸디나비아 반도에만 존재하는 것이 아니다. 브라질 사람은 "여기 말고 그런 일이 또 어딨겠어"라고 말하고, 프랑스 사람은 그들대로 "그러니까 프랑스지"라고 하겠지만, 이름만 다를 뿐 세상 어디에나 존재하는 법칙이다. 이쯤에서 이미 짜증이 난 독자들은 얀테의 법칙이 도대체 뭐냐고 물을 것이니, 그것을 내 식으로 이야기해보겠다.

"당신은 쓸모없다, 당신이 무슨 생각을 하건 아무도 관심이 없다, 평범한 익명으로 사는 게 제일이다. 이런 신조로 살면 사는 동안 어떤 큰 문제와도 맞닥뜨리지 않을 것이다."

얀테의 법칙의 기저를 이루는 질투와 시샘으로 인해, 대부분의 사람들은 마르타 루이제 공주의 남편인 아리 벤과 같은 사람들을 좋아하지 않는다. 확실히 그것은 이 법칙의 부정적인 측면이다. 그러나 거기에는 그보다 더 큰 위험이 숨어 있다.

이 세상이 타인을 의식하지 않고 악행을 서슴지 않는 사람들로 넘쳐나는 건 고맙게도 이 법칙 덕분이다. 우리는 이라크에서 벌어진 불필요한 전쟁을 지켜보았다. 그리고 전쟁이 그 대가로 많은 희생자를 양산해낸 것도. 우리는 잘사는 나라들과 못사는 나라들 사이의 극심한 간극을 목도한다. 많은 이들이 사회적 불균형, 통제 불가능한 폭력, 부당하고 비열한 비난 때문에 어쩔 수 없이 꿈을 포기한다. 이차 세계대전이 일어나기 전, 히틀러는 이미 그의 의도를 여러 방식으로 뚜렷이 표명한 바 있다. 그리고 자신의 계획을 거침없이 밀어붙일 수 있었는데, 이 세상 누구도 감히 그에게 도전해오지 못하리란 걸 알고 있었기 때문이다. 바로 얀테의 법칙 때문에.

평범하다는 것은 매우 편안하다. 어느 날, 비극이 문을 두드리며 이렇게 물을 때까지는. "이렇게 될 줄 알았으면서 어째서 모두 아무 말 안 한 거지?"

간단하다. 아무도, 아무 말도 하지 않았다. 다른 사람들도 아무 말 안 했으므로.

모든 것이 더 악화되지 않도록 이제는 '얀테의 반대 법칙'을 활용해야 할 때가 아닐까.

"당신은 자신이 생각하는 것보다 훨씬 가치 있는 존재이다. 당신이 믿지 않는다 해도 이 세상에서 당신이 하는 일과 당신의 존재는 중요하다. 얀테의 법칙을 무시하면 여러 가지 문제가 생길 수도 있겠지만, 혼란스러워 말고 계속 두려움 없는 삶을 살아라. 그러면 결국 당신은 승리할 것이다."

우리 함께 노래 불러요

그녀는 코파카바나, 아베니다 아틀랑티카의 보도에 기타와 팻말을 들고 앉아 있었다. 팻말에는 이렇게 씌어 있었다.

'우리 함께 노래 불러요.'

그녀는 혼자 기타를 연주하기 시작했다. 주정뱅이 하나와 노파가 합류해 함께 노래를 불렀다. 곧 사람들이 모여들어 한 패는 노래하고 한 패는 청중이 되어 노래가 끝날 때마다 박수를 쳤다.

"왜 이런 일을 하시는 거죠?"

곡이 바뀌는 틈을 타 내가 묻자 그녀가 대답했다.

"혼자 있고 싶지 않아서라오. 노인들이 대개 그렇겠지만, 나도 외로운 사람이거든."

우리 모두 이런 방식으로 자신의 문제를 풀 수 있다면 좋겠다.

누군가를
사랑한다는 것

사랑하는 사람들을 도와주고 싶어도 그럴 수 없을 때가 있다. 상황 때문에 그들에게 접근할 수 없을 때도 있고, 협동이라든가 도움 같은 것을 거부하는 사람도 있기 때문이다.

그럴 때 우리에게 남는 것은 사랑뿐이다. 모든 것이 무의미해 보이는 순간에도 우리는 여전히 사랑을 나눌 수 있다. 그 대가로 칭찬이나 변화나 감사도 기대하지 않고 말이다.

그러면 사랑의 힘은 우리를 둘러싼 우주를 변화시키기 시작한다. 그리고 언제나 그 목적을 이룬다. '시간은 사람을 변화시키지 못한다. 의지의 힘도 사람을 변화시키지 못한다. 변화를 가능케 하는 것은 오직 사랑이다.' 헨리 드루먼드의 말이다.

신문에서 부모로부터 심하게 학대당한 어린 브라질 소녀에 관한 기사를 읽었다. 온몸이 마비되고 실어증에 걸린 아이에게 담당 간호사는 매일 말했다고 한다. "사랑한다, 얘야." 의사는 그녀에게 아이는 듣지 못하니 소용없다는 걸 납득시키려 했지만, 간호사는 계속했다. "잊지 마, 나는 너를 사랑해."

삼 주 후, 아이는 움직일 만큼 기력을 회복했다. 사 주 후에는 말도 하고 웃기도 했다. 간호사는 일절 인터뷰에 응하지 않았고, 신문에도 그 이름이 실리지 않았다. 하지만 모두 잊지 않도록 여기 다시 쓴다. 사랑은 치유한다.

사랑은 변화시키고, 사랑은 치유한다. 종종 사랑은 치명적인 덫이 되어 모든 것을 바치기로 결심한 사람을 철저히 파멸시키기도 한다. 사랑, 우리를 계속 살게 하고 더 나아지고픈 의지를 갖게 하는, 우리 저 깊은 내면에 존재하는 이 복잡한 감정은 무엇일까?

사랑을 정의한다는 것은 무책임한 짓인지도 모르겠다. 나 역시 다른 이들과 똑같이 그것을 느낄 수밖에 없는 까닭이다. 사랑을 주제로 수천 권의 책이 씌어졌고, 연극이 상연되고, 영화가 제작되고, 시가 지어지고, 나무나 대리석으로 된 조각품들이 만들어진다.

예술가들이 자신의 작품을 통해 전달하는 것은 사랑 그 자체가 아닌, 사랑에 대한 그의 생각이다. 그러나 나는 안다. 사랑이라는 감정은 사소한 것들 안에 담겨 있고, 대수롭지 않은 행동을 통해 드러난다는 것을. 그러므로 행동으로 직접 보여주든 그러지 않든, 마음속에 사랑을 간직해야 한다.

지금 수화기를 들고 미뤄왔던 다정한 말들을 하자. 문을 열고 우리의 도움이 필요한 사람들을 들어오게 하자. 직업을 가지자. 그것을 버리자. 미뤄왔던 결정을 내리자. 우리가 저질렀거나 여전히 우리 마음을 괴롭히는 실수에 대해 용서를 구하자. 우리의 권리를 주장하자.

보석상보다 중요한 동네 꽃집의 단골손님이 되자. 사랑하는 사람이 자리를 비웠을 때는 음악소리를 높이고, 그가 가까이 있을 때는 볼륨을 낮추자. 적절한 순간에 예, 아니요라고 말하는 법을 배우자. 사랑은 우리의 에너지로 가동되는 것이니까. 두 사람이 함께할 수 있는 운동을 배우자. 여기 내가 말하는 어떤 지침도 따르지 말자. 사랑은 창의적인 것이니까.

아무것도 소용없고 외로움만 남으면, 이 이야기를 기억하라. 한 독자가 내게 보내준 이야기다.

장미 한 송이가 벌이 자신을 찾아와주기를 밤낮으로 기다렸다. 그러나 한 마리도 그 꽃잎에 내려앉지 않았다. 그래도 장미는 계속 꿈을 꾸었다. 긴긴 밤, 꽃은 벌이 와서 부드럽게 입 맞추어주기를 고대하며 하늘에 가득한 벌떼를 상상했다. 그러면 다음날 해가 다시 얼굴을 내밀 때까지 견딜 수 있었다.

하루는 장미의 외로움을 잘 아는 달이 물었다.

"그렇게 기다리기만 하는 게 지겹지 않니?"

"그래요. 하지만 계속 기다릴 수밖에 없어요."

"어째서?"

"봉오리를 열지 않으면 그대로 시들어 사라져버릴 테니까요."

외로움이 모든 아름다움을 짓누르는 순간에 그것을 이겨낼 방법은 열려 있는 것뿐이다.

기적을
믿습니까?

"오늘날 과학적으로 입증된 것들도 한때는 상상에 불과한 것들이었다."

윌리엄 블레이크의 말이다.

그렇게 우리는 비행기, 우주선, 그리고 지금 이 글을 쓰고 있는 컴퓨터 등을 가지게 되었다. 루이스 캐럴의 명저 『거울 나라의 앨리스』에서 하얀 여왕이 도저히 믿기 힘든 이야기를 한 후, 앨리스와 여왕 사이에 이런 대화가 이어진다.

"믿을 수가 없어요!"

앨리스가 말했다.

"못 믿겠다고?" 여왕은 측은한 듯 말했다. "그럼, 다시 해보렴. 숨을 깊이 들이쉬고, 눈을 감아봐."

앨리스는 웃었다.

"그럴 필요 없어요. 불가능한 걸 어떻게 믿어요."

"너, 연습이 부족한 게로구나."

여왕이 말했다.

"내가 너만할 때는 매일 삼십 분씩 그런 연습을 했단다. 그렇게 해서 이따금 나는 아침을 먹기도 전에 여섯 가지의 불가능한 일들을 믿었어."

삶은 부단히 우리에게 말을 건다. "믿어라!" 기적을 믿으면 행복의 순간이 찾아올 뿐 아니라, 우리라는 존재를 지키고 존재의미를 깨달을 수 있다. 오늘날 많은 사람들은 가난을 퇴출하고, 정의로운 사회를 이루고, 점점 심해져가는 종교 간의 불화를 풀 방법은 존재하지 않는다고 믿는다. 대개의 사람들은 타협하는 게 낫다, 나이 탓이다, 우스워 보이지는 않을까, 너무 무기력하다 등의 핑계를 대며 정면 돌파하기를 피한다. 우리는 이웃이 부당한 취급을 당하는 것을 보고도 침묵한다. '쓸데없이 골치 아픈 일에 말려들고 싶지 않아서'라고 하면서.

그건 비겁한 행동이다. 영적인 길을 걷고자 하는 사람에게는 잊어선 안 될 도덕률이 있다. 불의에 항의하는 음성은 결국 신에게 가 닿는다는 것이다.

그럼에도 종종 우리는 이런 말을 듣는다. "나는 꿈을 믿고, 불의에 대항해 싸우려 하지만, 결국에는 실망하게 된다."

하지만 빛의 전사는 불가능해 보이는 싸움이 의미 있다는 걸 알고 있다. 그래서 그는 실망을 두려워하지 않는다. 그의 검이 지닌 힘과 사랑의 강인함을 아는 까닭이다. 그는 결단력 없고 세상의 불의를 남의 탓으로만 돌리는 사람들을 강하게 거부한다.

자기 능력을 넘어서는 일이라고 해서 불의를 보아넘긴다면, 전사는 영영 옳은 길을 찾을 수 없다.

이란 소설가 아라시 헤자지가 내게 이런 글을 보내왔다.

"오늘 길을 가는데 갑자기 폭우가 쏟아졌습니다. 다행히 우산과 외투가 있긴 했지만 문제는 그게 멀찌감치 주차한 차 트렁크 안에 있다는 것이었습니다. 차를 향해 달리며 나는 생각했습니다. 지금 신께서 내게 기묘한 메시지를 보내고 계신 건 아닐까? 우리는 인생이라는 여정에서 만나는 폭풍에 대비해 필요한 것을 늘 챙겨두고 있습니다. 그러나 그것들은 대개 우리 가슴 깊숙이 갇혀 있어 막상 필요할 때 찾느라 많은 시간을 허비하게 되지요. 그리고 그것을 찾는 건 이미 역경에 패한 뒤입니다."

항상 준비하자. 그러지 않으면 우리는 기회를 놓치거나 싸움에 지게 된다.

폭풍을
마주하는 법

곧 폭풍이 일 것이다. 지금 내 눈엔 멀리 지평선에서 일어나는 일이 상세하게 보인다. 저녁 노을빛에 구름이 도드라지고, 하늘에서 내려치는 번갯불도 보인다.

정적. 바람은 아까보다 강하지도 약하지도 않다. 그러나 지평선을 주시하고 있는 나는 폭풍이 몰려온다는 사실을 알고 있다.

나는 산책을 멈춘다. 다가오는 폭풍을 지켜보는 것보다 흥미진진하면서도 두려운 일은 없다. 우선 피할 곳부터 찾아야겠다는 생각이 든다. 하지만 지붕을 벗겨가고, 나뭇가지를 부러뜨리고, 전선을 망가뜨릴 정도로 거센 바람이 불어오면 피난처가 오히려 위험할 수도 있다.

어릴 적 노르망디에 살았던 옛 친구 생각이 난다. 나치 점령하의 프랑스에서 노르망디 상륙작전을 코앞에서 지켜본 친구였다.

나는 그의 말을 결코 잊을 수 없을 것이다. "자고 일어났는데 수평선이 전함으로 가득 차 있었어. 집 앞 해변에서 독일군들도 그 광경을 지켜보았지. 그러나 무엇보다 무서운 건 고요함이었어. 생사를 다투는 전쟁을 초월하는 완벽한 고요."

그런 고요가 지금 나를 에워싸고 있다. 나를 둘러싸고 있는 옥수수밭이 서걱서걱 소리를 내기 시작했다. 폭풍이 다가올수록 기압이 변한다. 옥수숫대 부비는 소리가 점점 커진다.

나는 살면서 여러 차례 폭풍을 만났다. 폭풍은 예고 없이 만나는 게 보통이었으므로 나는 몇 가지를 배워야 했다. (아주 빨리) 멀리 내다보는 법, 날씨는 내 마음대로 할 수 없다는 것, 인내심을 가져야 한다는 것, 자연의 광포함을 존중해야 한다는 것. 모든 것이 사람 뜻대로 되는 건 아니며, 때로는 사람이 대상에 따라 자신을 길들여야 할 때도 있다.

수년 전 나는 이런 노래가사를 썼다. "나는 이제 비를 두려워하지 않네. 비는 언제나 하늘의 무언가를 데려오니까." 두려움을 극복하고, 내가 쓴 가사처럼 품위 있게 행동하고, 아무리 거센 폭풍이라도 언젠가는 지나가리라는 것을 알면 된다.

바람이 거세지고 있다. 나는 텅 빈 들판에 서 있다. 지평선의 나무들이 벼락을 맞을지도 모르겠다. 옷이 젖을 수도 있지만, 내가 설탕이나 소금으로 만들어진 사람은 아니잖은가. 안전한 곳을 찾아다니기보다 이 순간을 즐기자.

반시간이 흘렀다. 엔지니어였던 우리 할아버지는 물리법칙에 관한 얘기를 자주 들려주셨다. "번개가 치면 천둥소리가 들릴 때까지 몇 초나 걸리는지 세어보아라. 거기에 소리의 초속인 340미터를 곱

해보렴. 그럼 번개가 얼마나 멀리서 치고 있는지 알 수 있단다." 약간 복잡하긴 하지만 나는 어릴 때부터 버릇이 되어 이 계산에 익숙하다. 이 순간 번개는 2킬로미터 떨어진 곳에서 치고 있다.

하늘은 아직 구름의 윤곽이 보일 만큼 환하다. 비행기 조종사들은 저런 구름을 적란운이라고 부른다. 생긴 모양이 꼭 모루 같은 것이, 마치 대장장이들이 타브르 마을을 굽어보는 분노한 신들을 위해 하늘을 벼려 검을 만드는 것 같다.

폭풍이 점점 다가오고 있다. 여느 폭풍처럼, 이것 역시 재해를 몰고 올 것이다. 그러나 동시에 폭풍은 들판을 적셔주고 하늘의 지혜를 알려준다. 그리고 여느 폭풍처럼, 그것은 곧 지나갈 것이다. 사나울수록 폭풍은 빨리 지나간다.

얼마나 다행인지. 나는 폭풍을 마주하는 법을 배웠다.

마지막 기도문

법구경

의미 없는 천 마디의 말보다 마음에 평화를 부르는 한 마디 말이기를,

현란한 천 편의 시보다 영혼의 잠을 깨우는 단 한 줄의 시이기를,

귓가를 스쳐가는 천 곡의 노래보다 심금을 울리는 한 곡의 노래이기를.

메블라나 잘랄루딘 루미*

저 밖에, 옳고 그름 너머 광대한 들판이 존재하느니.

우리는 거기서 만나리라.

---

* 13세기 터키의 수피교 지도자.

선지자 무함마드

오 알라여, 당신은 모든 것을 아시고 숨겨진 것도 아시나니 제게 가르쳐주소서.

지금 제가 행하는 일이 지금과 미래의 저 자신과 제 믿음과 제 삶에 유용한 것이라면, 이 일을 수월하게 하시고 축복하소서.

지금 제가 행하는 일이 지금과 미래의 저 자신과 제 믿음과 제 삶에 해로운 것이라면, 제게서 이 일을 거두소서.

나사렛 예수, 마태복음 7장 7~8절

구하라, 그리하면 너희에게 주실 것이요, 찾으라, 그러면 찾을 것이요, 문을 두드리라, 그러면 너희에게 열릴 것이니라. 구하는 이마다 구할 것이요, 찾는 이가 찾을 것이요, 두드리는 이에게는 열릴 것이다.

평화를 위한 유대인의 기도

주의 길을 좇아 우리도 주의 산으로 올라가자. 우리의 칼을 쟁기로 바꾸고, 우리의 창을 낫으로 바꾸자. 민족이 민족에게 칼을 휘두르지 않고, 더는 전쟁에 대해 배우지 않을 것이다. 누구도 두려워하지 않으리라. 이것은 주께서 하신 말씀이니.

중국, 노자

세상에 평화가 오려면 백성이 평화롭게 살아야 한다.
백성들이 평화롭게 살려면 부족들 간에 싸움이 없어야 한다.
부족들 간에 싸움이 그치려면, 이웃 간에 분란이 없어야 한다.
이웃 간에 분란이 없으려면, 가정이 화목해야 한다.
가정이 화목하려면, 각자의 마음을 다스릴 줄 알아야 한다.